Salades

des quatre saisons
et leurs vinaigrettes

Couverture
- Conception graphique:
  KATHERINE SAPON
- Photo:
  MARYSE RAYMOND

Maquette intérieure
- Conception graphique:
  JEAN-GUY FOURNIER
- Illustrations des salades:
  GÉRARD JOLY
- Autres illustrations:
  ANDRÉ LALIBERTÉ

Équipe de révision

Daniel Ariey-Jouglard, Jean Bernier, Monique Herbeuval, Patricia Juste, Jean-Pierre Leroux, Odette Lord, Linda Nantel, Paule Noyart, Jacqueline Vandycke

Nous tenons à remercier le personnel de la bibliothèque de l'Institut de tourisme et d'hôtellerie du Québec pour son aimable collaboration.

DISTRIBUTEURS EXCLUSIFS:
- Pour le Canada:
  AGENCE DE DISTRIBUTION POPULAIRE INC.*
  955, rue Amherst, Montréal H2L 3K4 (tél.: 514-523-1182)
  *Filiale de Sogides Ltée
- Pour la France et l'Afrique:
  INTER-FORUM
  13, rue de la Glacière, 75013 Paris (tél.: (1) 43-37-11-80)
- Pour la Belgique et autres pays: S. A. VANDER
  Avenue des Volontaires, 321, 1150 Bruxelles (tél.: (32-2) 762.98.04)

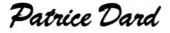

Patrice Dard

Salades
des quatre saisons
et leurs vinaigrettes

LES ÉDITIONS DE L'HOMME *

CANADA: 955, rue Amherst, Montréal H2L 3K4

*Division de Sogides Ltée

Données de catalogage avant publication (Canada)

Dard, Patrice, 1944-

    Salades des quatre saisons et leurs vinaigrettes

    (Collection Cuisine d'aujourd'hui)

    2-7619-0584-9

    1. Salades. 2. Cuisine (Sauce à salade). I. Titre.
II. Collection

TX740.D37 1986   641.8'3   C86-096136-2

Bibliothèque nationale du Québec
Dépôt légal — 2e trimestre 1986

ISBN 2-7619-0584-9

collection

CUISINE
D'AUJOURD'HUI

Journaliste, écrivain, mais aussi restaurateur de grand renom, Patrice Dard, fils de Frédéric Dard, alias San-Antonio, est devenu, à quarante ans, l'un des plus célèbres auteurs d'ouvrages de cuisine.

Mariage subtil entre l'imagination du romancier et la précision technique du cuisinier, les livres de recettes de Patrice Dard connaissent partout un vif succès.

Patrice Dard appartient à cette génération de nouveaux chefs qui, tels Georges Blanc, Bernard Loiseau, Jacques Maximin, Marc Meneau, Joël Robuchon ou Guy Savoy, ses amis, préparent aujourd'hui les traditions de demain.

Cuisine d'aujourd'hui, c'est précisément le nom que Patrice Dard a choisi pour sa collection. Et ce n'est certes pas, vous le verrez, l'effet du hasard.

Avertissement

Le lecteur remarquera sans doute que quelques produits mentionnés dans ce volume sont introuvables dans sa région ou à certaines périodes de l'année. Pourtant, rien ne l'empêche de les remplacer par d'autres produits qu'il peut se procurer plus facilement.

Lorsque, par exemple, une recette parle d'un "colin", le fait de remplacer ce "colin" par de l'aiglefin ou par un autre poisson oblige simplement le lecteur à un petit travail d'adaptation et d'invention qui lui permettra peut-être de progresser, d'affiner son goût et de parfaire ses techniques.

Bien qu'il soit toujours préférable d'utiliser les herbes fraîches, on peut les remplacer par des herbes séchées dans la plupart des cas. C'est la raison pour laquelle nous avons indiqué la quantité d'herbes fraîches et la quantité équivalente d'herbes séchées.

Certaines expressions utilisées comme une pointe ou une pointe de couteau ne correspondent à aucune mesure précise mais indiquent que le produit doit être versé avec parcimonie. Cela équivaut, si l'on veut, à une bonne pincée.

Glossaire

A

Acacia: Faux nom du robinier. Les fleurs d'acacia sont comestibles et elles décorent les salades. On fait aussi un miel de ces fleurs, le miel d'acacia, dont le parfum léger ne gêne pas les autres essences en cuisine.

Aïoli: Sauce mayonnaise provençale à base d'ail.

Airelle ou canneberge: Baie rouge servie très souvent en compote ou en gelée pour accompagner la dinde traditionnelle. La variété particulière de l'Amérique est aussi appelée atoca. Au Québec, on peut trouver les baies fraîches ou surgelées dans plusieurs supermarchés.

Aligoté bourguignon: Vin de bourgogne blanc, léger et sec, de qualité honorable.

Aneth (branchettes d'): Plante aromatique dont le goût se rapproche de l'anis. L'aneth est souvent utilisé pour parfumer les cornichons. Lorsqu'il est frais, toute la branche peut être utilisée.

Anisette: Liqueur à base d'anis ou de badiane.

Antiadhérent (revêtement): Revêtement recouvrant la surface de certains ustensiles de cuisine, comme les poêles. Ce procédé permet de faire cuire les aliments sans qu'ils ne collent.

Apremont savoyard: Vin blanc sec.

Arrow-root: Fécule riche en amidon, extraite des rhizomes de certaines plantes tropicales, servant à épaissir les bouillies et à lier les sauces.

Artichaut violet: Variété d'artichaut de teinte violacée, pouvant se manger cru lorsqu'il est jeune et petit.

B

Baies de genévrier: Baies noirâtres à saveur poivrée, utilisées comme condiment. On s'en sert pour la fabrication d'une eau-de-vie.

Banane verte (appelée aussi plantain): Grosse banane verte à chair rosée utilisée comme légume à cuisson. Au Québec, on la trouve dans plusieurs supermarchés.

Bar: Poisson de mer à chair maigre, fine et serrée; il a très peu d'arêtes.

Barbe-de-capucin: Variété de chicorée blanche et légèrement amère.

Batavia, salade: Variété de laitue à feuilles épaisses et dentelées, dont la pomme est plus volumineuse que la laitue pommée.

Bigorneau: Petit coquillage brun ou noir, strié, appelé aussi "escargot de mer", mais dont le goût est différent de l'escargot.

Bleu d'Auvergne et bleu des Causses: Fromages de lait de vache à pâte molle et persillée, dont les veinures bleues internes sont causées par des spores incorporées.

Bleuet: Petit fruit rond d'un bleu violet. C'est la myrtille d'Amérique.

Botteler: Lier en bottes.

Bouillotter: Faire bouillir à petits bouillons.

Boursette: Herbe sauvage pouvant entrer dans la fabrication du mesclun. *Voir* Mesclun.

Branchettes d'aneth frais: *Voir* Aneth.

Brugnon (ou nectarine): Fruit voisin de la pêche, à peau lisse et rouge parfois marbrée de jaune.

Bulot ou buccin: Gastéropode à coquille conique et blanchâtre lorsqu'il est petit.

C

Cabillaud: Morue fraîche.

Calmar: Mollusque marin à tentacules, voisin de la seiche.

Canneberge: *Voir* Airelle.

Capucine, fleurs de: Plante ornementale dont les feuilles et les fleurs peuvent être apprêtées en salade.

Cardon: Plante potagère voisine de l'artichaut, dont on consomme la côte des feuilles (cardes). Faites tremper la plante fraîche dans de l'eau froide salée pour la conserver quelques jours.

Carpaccio: Hors-d'oeuvre italien, composé de minces tranches de boeuf cru, accompagné d'une vinaigrette à l'huile d'olive et d'oignons émincés.

Cerneaux de noix: Noix écalées.

Cervelas: Grosse saucisse courte que l'on peut se procurer dans les boucheries et boutiques spécialisées.

Cervelle: En cuisine, appellation du cerveau des animaux de boucherie. On apprête surtout la cervelle de veau, d'agneau et de mouton. Cet abat blanc contient du phosphore, des protéines et des vitamines.

Champagne brut: Vin de champagne très sec.

Champignons de Paris: Les champignons de Paris sont les champignons cultivés que l'on trouve le plus couramment dans les épiceries.

Champignons rosés: Au Québec, on peut cueillir ces champignons en saison, c'est-à-dire en automne. On peut aussi en trouver dans certains magasins de fruits et légumes spécialisés, ou séchés, dans les magasins de produits fins.

Champignons rosés des prés (boutons de culotte): Au Québec, on peut cueillir ces champignons à l'automne. On peut aussi les trouver dans certains magasins de fruits et légumes spécialisés, ou séchés, dans certains magasins de produits fins.

Chanterelles: Au Québec, on peut cueillir ces champignons durant l'été et l'automne, avant qu'ils ne soient trop mûrs. On peut aussi en trouver dans certains magasins de fruits et légumes spécialisés, ou séchés, dans les magasins de produits fins.

Chartreuse verte: La Chartreuse est une liqueur tonique à base de plantes, fabriquée par les moines de l'ordre des Chartreux. La verte, plus forte que la jaune, contient 55° d'alcool.

Châtrer: Dans le cas d'une plante, ôter les étamines. Pour un poisson ou une viande, enlever les testicules ou les ovaires.

Chicon: En Belgique, autre nom de l'endive. *Voir* Endive.

Chicorée frisée: Variété de chicorée, plante potagère dont on consomme les feuilles, crues ou cuites.

Chou blanc: Variété du chou pommé, qui peut aussi être vert ou rouge. C'est avec le chou blanc que l'on prépare la choucroute.

Chou chinois: Variété de chou souvent utilisé en cuisine chinoise. Il en existe plusieurs espèces mais la plus courante, de forme allongée, ressemble à une grosse laitue romaine.

Citronnelle ou thym citronnelle: Plante dont l'odeur rappelle celle du citron. Les feuilles séchées sont utilisées comme aromate en cuisine orientale.

Clam: Mollusque à grande coquille lisse, pouvant se manger cru ou cuisiné. Si on ne peut le trouver frais en poissonnerie, on peut l'acheter en conserve dans les épiceries.

Colin: L'utilisation commerciale de ce terme peut désigner le merlu ou l'aiglefin, mais aussi d'autres poissons de mer à chair blanche dont l'espèce doit être désignée.

Commensal: Hôte.

Coquillettes: Pâtes alimentaires en forme de petits coudes.

Cornichons à la russe (malossol): Gros cornichons à peau lisse, peu croquants et aigres-doux, qui ont macéré en saumure avec des fines herbes.

Cresson: Plante aquatique verte foncée qu'on mange en salade ou en garniture.

Crevette "bouquet": Cette grosse crevette de couleur rose, très appréciée, mesure de 7 à 12 cm (3 à 5 po).

Crevette gamba: Très grosse crevette rouge qui mesure de 15 à 20 cm (6 à 8 po).

Crottin de Chavignol: Fromage de chèvre à pâte molle, dont la croûte est tachetée de moisissures.

Curcuma: Plante herbacée tropicale, utilisée comme épice ou comme colorant.

E

Eau de rose: Essence tirée des roses par distillation. Elle se vend embouteillée et sert à aromatiser.

Ébarber: Dans le cas des poissons, couper les nageoires à l'aide de ciseaux. Pour une plante, enlever la barbe.

Égrapper: Détacher de la grappe.

Endive: Légume allongé aux feuilles blanches, obtenu par forçage d'une racine de chicorée.

Épinard: Légume en feuilles vert foncé, à forte teneur en fer.

Éplucher: Nettoyer en enlevant les parties inutiles, des légumes, des fruits, des salades, etc.

F

Faire le ruban: Mélanger une préparation à consistance suffisamment lisse pour qu'elle puisse se dérouler comme un ruban du haut de la spatule.

Fenouil: Le bulbe blanc (dit aussi coeur, pomme ou tête) de cette plante aromatique est utilisé comme légume.

Fleurs de capucine: *Voir* Capucine, fleurs de.

Figue violette: Petite figue en forme de poire, sucrée et juteuse.

Foie gras cru: Une des quatre formes du foie gras. De couleur jaunâtre, il est appelé à être cuit et ne doit pas être trop gros afin de ne pas perdre sa graisse.

Frisée, chicorée: *Voir* Chicorée frisée.

Fritto misto: Assortiment italien de beignets salés.

Fruit de la Passion: La passiflore, liane exotique, produit le fruit de la Passion, à peau épaisse et boursouflée. Sa chair jaune contient de multiples graines noires.

G

Genévrier: *Voir* Baies de genévrier.

Goyave: Fruit exotique à peau mince et jaune.

Graine de couscous: Semoule de blé dur avec lequel on fabrique le couscous, plat traditionnel de l'Afrique du Nord.

Granny smith: *Voir* Pomme granny smith.

Gras-double: Morceaux de panse de boeuf moulés en pain, apprêtés de façon relevée.

Grelots, oignons: Petits oignons.

H

Hareng mariné (rollmops): Hareng fendu, embroché et mariné au vin blanc.

Herbes de Provence: Bouquet de plantes aromatiques composé de thym, romarin, sariette, basilic et laurier.

Hot Ketchup: Ketchup très pimenté.

Huile de première pression à froid: Huile non raffinée qui conserve le goût du végétal dont elle est issue. C'est notamment le cas de l'huile d'olive.

Huile de truffe: Huile obtenue en laissant macérer une truffe dans de l'huile de tournesol, de maïs ou d'olive.

Hysope: Plante aromatique à saveur forte et amère connue depuis l'Antiquité. Aujourd'hui, on l'utilise pour fabriquer des liqueurs comme la Chartreuse. On peut aussi en assaisonner les farces, certaines charcuteries, salades ou compotes de fruits.

J

Jambon de Parme: Jambon savoureux d'importation italienne.

K

Kiwi: Appellé aussi "actinidia" ou "groseille de Chine", ce fruit en forme de petit citron à peau brune duvetée possède une chair verte.

L

Laitue batavia rouge: Variété rouge de la laitue batavia. *Voir* Batavia.

Lentille verte du Puy: Légumineuse plate et ronde, la succulente lentille du Puy, protégée par une appellation d'origine, peut cependant être remplacée par n'importe quelle autre lentille verte, en autant qu'elle ne soit pas trop grosse.

Lotte: Poisson de mer, à chair maigre et ferme, sans arêtes, appellé aussi baudroie. On peut aussi lui substituer la plie.

Lump: Poisson des mers froides à chair médiocre, surtout recherché pour ses oeufs vendus en succédané de caviar. Les oeufs d'aiglefin portent aussi parfois cette appellation.

Lyophilisé: Déshydraté.

M

Mâche: Plante aux feuilles arrondies, souvent servie en salade, bien qu'elle puisse aussi se cuire comme des épinards.

Magret (de canard): Poitrine de canard.

Maïzena: Fécule de maïs.

Malaga (raisins de): Raisins espagnols servant à la fabrication du malaga, vin de dessert.

Malossol (concombres): *Voir* Cornichons à la russe.

Mangue: Fruit tropical de forme oblongue et à la peau verdâtre marbrée, dont la chair orangée est juteuse.

Maquereau fumé au poivre: Le maquereau est un poisson mi-gras que l'on achète frais ou en conserve, fumé en sauce. Si l'on ne peut se procurer de maquereau fumé au poivre, on peut lui substituer du hareng ou tout autre poisson fumé du même type.

Melon d'Espagne: Type de "melon gelé d'hiver" appelé aussi "melon napolitain". Possède une écorce verte ou jaune, lisse, sillonnée de façon irrégulière de plusieurs lignes à peine dessinées. Sa pulpe est blanche et douce.

Mesclun: Mélange de laitues comprenant généralement de la chicorée, de la salade de Trévise, de la scarole, de la mâche, des feuilles de pissenlit et de roquette, etc.

Monbazillac: Vin blanc de dessert parfumé, issu des mêmes cépages que le sauternes.

Mondé: Dont la peau a été retirée après immersion dans l'eau en ébullition.

Mûres (ronces): Fruit noir, semblable à la framboise.

Muscadet: Vin blanc sec et parfumé qui se boit jeune.

Muscat, raisin: Raisin à saveur musquée, servant à la fabrication du muscat, vin doux naturel.

Myrtille: *Voir* Bleuet.

N

Nectarine: *Voir* Brugnon.

Noilly Prat: Vin rouge apéritif de France.

Noix muscade: Graine du fruit du muscadier, utilisée comme condiment.

Nouet: Petit carré de gaze servant à envelopper des ingrédients utilisés pour aromatiser, sans toutefois les mélanger aux aliments.

Nuoc-mâm: Condiment vietnamien à base de saumure de poissons séchés.

O

Orange sanguine: Variété d'orange dont la peau et la pulpe sont veinées de rouge.

Oseille: Plante potagère dont les feuilles vertes sont surtout consommées en salade. On peut trouver de l'oseille fraîche l'été. À défaut, on peut utiliser de l'oseille en conserve que l'on se procurera dans les épiceries fines.

P

Papaye: Gros fruit tropical à peau jaune et à chair orangée se mangeant une fois ouverte en deux et débarrassée de ses pépins. Une autre variété, la papaye verte, se cuisine comme un légume une fois vidée de son liquide.

Papier d'aluminium bombé: Papier d'aluminium auquel on donne une forme de dôme, ce qui laisse suffisamment d'espace pour permettre à la vapeur de cuire les aliments.

Pastèque: Melon d'eau.

Pastis: Boisson apéritive alcoolisée à l'anis.

Pâte de soja (tofu): Le tofu est un fromage végétal fabriqué à partir de haricots de soja. Très riche en protéines, ce produit se trouve au Québec, au comptoir des fruits et légumes de la plupart des épiceries.

Pêche abricot: Fruit rond à la peau orangée et veloutée.

Pêche de vigne: Fruit provenant de pêchers cultivés en plein vent et qui produisent lorsque la vigne donne du raisin.

Pelures de truffe: Fines lamelles de truffe obtenues à l'aide d'un coupe-truffe. Au Québec, on peut trouver dans les épiceries fines, des truffes pelées en conserve.

Pickles: Condiment à base de légumes ou de fruits tels: chou-fleur, concombre, morceaux de courgette, petites tomates, etc., conservés dans un vinaigre aromatisé.

Piment langue d'oiseau, petit: Appelé aussi "piment oiseau ou piment enragé", ce piment très fort est vendu frais ou séché. En poudre, il prend le vocable de "poivre de Cayenne".

Pimprenelle: Herbe aromatique dont les feuilles dentelées se consomment jeunes, rappelant le goût du concombre.

Pissenlit: Plante commune dont les jeunes feuilles vertes, dentelées, se mangent en salade.

Plantain: *Voir* Banane verte.

Pleurote: Champignon à lames en forme de grande oreille, qui pousse en touffes sur les troncs. Une espèce est cultivée et se trouve au Québec, de plus en plus couramment dans les épiceries.

Pointes d'asperges: Parties tendres et fragiles des asperges.

Poire passe-crassane: Variété de poire, grosse et ronde, très juteuse, à chair granuleuse et fondante.

Poire williams: Poire à chair sucrée qui supporte bien la transformation.

Pois gourmands: Variété aussi appelée pois mange-tout. On peut, comme son nom l'indique, en manger les cosses avec les graines, surtout lorsqu'elles sont jeunes.

Pomme fruit: Fruit du pommier dont il existe d'innombrables variétés.

Pomme granny smith: Variété de pomme verte, à chair croquante et acidulée.

Pomme rouge strarkimson: Variété de pomme rouge à chair jaunâtre.

Pourpier: Herbe potagère à saveur piquante dont les jeunes feuilles et les tiges tendres sont appréciées en salade.

Pousses de soja (*chop suey*): Légumineuses germées souvent utilisées en cuisine chinoise.

Poutargue: Oeufs de poisson fumés.

R

Raiponce: Plante vivace dont les racines et les feuilles se consomment en salade.

Raisins de Corinthe: Petits raisins secs foncés.

Raisins muscat: Raisins à saveur musquée. Il en existe deux sortes: le muscat blanc d'Alexandrie et le muscat de Hambourg, de couleur noire.

Raisins secs de Malaga: Raisins déshydratés plus volumineux et moins sucrés que les raisins de Corinthe.

Raki: Apéritif anisé turc.

Rās-al-hānout: Mélange d'épices en poudre composé de clous de girofle, de cannelle et de poivre noir.

Rhum vieux agricole: Issu de la distillation du sirop de canne à sucre, contrairement au rhum industriel qui provient de mélasses, le "rhum vieux" agricole est vieilli au moins trois ans en fûts de chêne, ce qui lui confère sa couleur naturellement ambrée. C'est de loin le meilleur rhum.

Riesling: Le meilleur des cépages blancs de la vallée du Rhin dont est issu le riesling alsacien, vin sec de haute réputation.

Riz à grains longs: Riz dont les grains ont au moins 6 mm (1/4 po) de longueur.

Rollmops: *Voir* Hareng mariné.

Romaine: Cette laitue d'un vert soutenu et de forme allongée possède de longues feuilles à grosses nervures.

Roquette: Plante méditerranéenne dont les jeunes feuilles se mangent en salade, ajoutant ainsi une saveur piquante et amère. La roquette est une des composantes du mesclun.

Rosés des prés: *Voir* Champignons rosés des prés.

Rouget: Cette dénomination est utilisée pour deux poissons de mer très voisins. Leur chair maigre est très appréciée même s'ils possèdent beaucoup d'arêtes.

S

Salade chicorée frisée: *Voir* Chicorée frisée.

Sauternes: Bordeaux blanc liquoreux obtenu par un procédé spécial, sans addition de sucre. Tous les sauternes sont d'excellents vins de dessert à boire frais.

Scarole: Variété de chicorée très croquante. Elle se consomme surtout en salade mais peut être cuite comme l'épinard.

Schifela: Palette de porc fumé. Ce plat est une spécialité alsacienne.

Scorsonère sauvage: Apparentée au salsifis, la scorsonère est un peu amère. On mange les jeunes racines en salade. À défaut d'en trouver de la fraîche, on peut trouver de la scorsonère en conserve, dans les épiceries fines.

Seiche: Mollusque marin à tentacules, un peu moins tendre que le calmar.

Sénevé: Plante herbacée, appelée aussi moutarde noire, dont les graines servent à fabriquer une moutarde piquante et épicée.

Starkimson: *Voir* Pomme rouge starkimson.

T

Tahin (*tahini*): Condiment du Moyen-Orient fabriqué à l'aide de graines de sésame pilées avec du jus de citron et des aromates. On peut trouver cette pâte de sésame dans les magasins d'alimentation naturelle et dans les épiceries orientales. Toutefois, précisez que vous voulez du tahin libanais car il existe aussi de la pâte de sésame chinoise.

Tarama: Plat grec consistant en une pâte rose et lisse constituée d'oeufs de poisson écrasés avec du pain trempé.

Tofu: *Voir* Pâte de soja.

Tome de Savoie: Fromage de lait de vache de forme cylindrique à croûte grisâtre, dont la pâte est jaune et souple.

Topinambour: Aussi appelé artichaut de Jérusalem, ce tubercule, à l'apparence d'une racine de gingembre, a un goût se rapprochant de l'artichaut.

Tranches de cervelle: *Voir* Cervelle.

Trévise ou chicorée de Trévise: Variété de chicorée. La trévise rouge de Vérone est pommée, tandis que la rouge de Trévise est de forme allongée.

Trévisette: Petite chicorée de Trévise. *Voir* Trévise.

Turbot: Succulent poisson de mer à chair blanche et ferme. Afin de préserver la saveur, on ne doit pas prolonger la cuisson du turbot.

V

Vinaigre de vin: Liquide condimentaire, rouge ou blanc, obtenu par une fermentation qui transforme l'alcool contenu dans le vin. La qualité du vinaigre dépend de celle du vin mais aussi de sa fabrication. Le vinaigre de vin industriel prélevé trop tôt sera dépourvu de bouquet.

Vinaigre de vin vieux: Vinaigre corsé, de tradition artisanale, obtenu par l'ajout de vin rouge ou blanc dans des fûts de chêne où se trouve déjà un vinaigre obtenu précédemment.

Vinaigre de xérès: Vinaigre corsé fait de façon artisanale avec du xérès.

X

Xérès: Vin espagnol très connu, que l'on appelle aussi sherry.

Histoire et
petites histoires
des salades

Il y a salade et salade

Qu'est-ce qu'une salade? Le dictionnaire nous dit que ce mot vient du provençal *salada* qui signifie: *mets salé* fait d'herbes potagères crues, assaisonnées d'huile, de vinaigre et de sel. Le terme s'est étendu aux herbes potagères elles-mêmes: (salade de) laitue, batavia, romaine, scarole, chicorée frisée, trévise et trévisette, cresson, mâche, pissenlit, pourpier, pimprenelle, raiponce, barbe-de-capucin, endive, épinard, oseille, etc. (*voir* glossaire p. 11 et illustrations p. 20-21).

Il désigne également, de nos jours, un mélange froid de légumes cuits, de poisson, de viande, d'oeufs, de fromages, assaisonnés d'une vinaigrette, voire d'un mélange de fruits, sucré ou non.

En langage populaire, une salade est le plus souvent une intrigue largement génératrice d'embrouilles, de brouilles et d'ennuis.

Mais, en cuisine, la salade se doit d'être un plaisir des sens: les yeux, le nez et la bouche. C'est ce que nous nous sommes efforcés de vous prouver dans ce volume avec beaucoup de diversité car, pratiquement, tout ce qui se mange et tout ce qui est bon peut être mis en salade.

Quand doit-on servir une salade?

Autrefois et jusques et y compris au Moyen Âge, la salade était toujours donnée en début de repas, qu'il s'agisse *d'herbes* ou de fruits. Les diététiciens modernes sont du même avis. Ils recommandent de toujours consommer les crudités et les fruits avant toute autre nourriture. À Lyon, capitale de la gastronomie française, la salade verte est toujours proposée en hors-d'oeuvre par les célèbres *mères*, papesses de la cuisine autochtone, comme dans les plus humbles foyers.

Les salades mêlées dans la composition desquelles entrent de la viande, du poisson ou des légumes secs, sont aussi inscrites au début du menu. Mais, très souvent, quand il s'agit de salade verte, elle précède les fromages. Elle agit alors comme un élément frais qui aide à la digestion.

J'ai connu un brave garçon, serveur dans une auberge de campagne et rêvant d'un destin plus glorieux, qui proposait toujours, après le plat de résistance, avec des grâces de page florentin et un air mutin: "un zeste

19

Les diverses variétés de salades

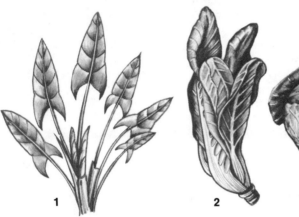

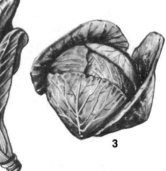

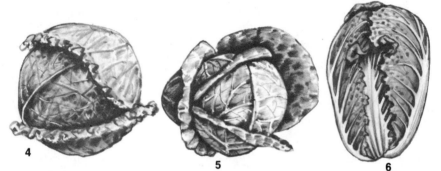

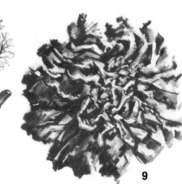

1. Oseille
2. Chicorée de Trévise
3. Chou blanc
4. Chou vert de Milan
5. Chou rouge
6. Chou chinois
7. Épinard
8. Fenouil
9. Scarole

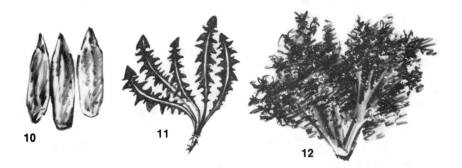

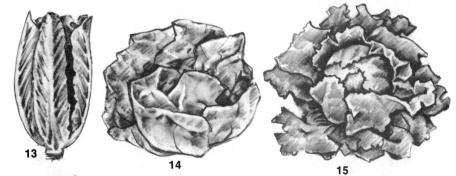

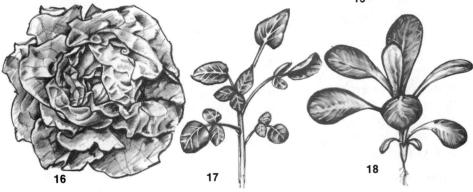

10. **Endives**
11. **Pissenlit**
12. **Chicorée**
13. **Romaine**
14. **Coeur de laitue**

15. **Batavia**
16. **Pommée**
17. **Cresson**
18. **Mâche**

de salade pour faire glisser". La forme n'était pas académique, l'expression peu ragoûtante, mais l'idée était juste. Une salade verte, bien assaisonnée remet en appétit après un plat trop riche.

Trucs et astuces pour préparer et conserver les salades

Ne laissez jamais laitue, romaine ou autre batavia séjourner dans l'eau car elle y perdrait ses sels minéraux sans être mieux lavée pour autant.

Lavez la salade rapidement dans plusieurs eaux successives.

Essorez-la soigneusement dans une essoreuse à petite vitesse car les essoreuses rapides écrasent et abîment la salade.

Parachevez l'opération en éparpillant la salade sur un torchon bien propre et sec qui absorbera les dernières gouttes d'eau.

Ne laissez jamais une endive dans l'eau, elle deviendrait amère plus que de raison.

Ajoutez du vinaigre dans l'eau de lavage du cresson, du pissenlit, de la chicorée frisée, et de la barbe-de-capucin: il fera se sauver les petites bestioles indésirables qui avaient trouvé refuge dans les replis des feuilles.

Si d'aventure vous avez oublié une laitue au réfrigérateur, vous pouvez lui redonner sa fraîcheur en la plongeant quelques minutes dans l'eau tiède, puis dans l'eau froide et en la remettant enfin au réfrigérateur, pour 2 heures, bien enfermée dans un sac en plastique.

Comment composer une salade?

Le plus souvent... avec de la salade, justement. Choisissez-la très fraîche et croquante sous la dent.

Et puisque nous avons vu que *salade* signifie aussi *mélange*, nous nous sommes efforcés, tout au long de ce volume, de vous donner, au travers de plus de 200 recettes, tout un éventail de compositions diverses: salades de légumes crus ou cuits, salades à base de poisson, de crustacés, de coquillages, de volaille, de viande, de charcuterie, d'abats, de légumes secs ou de farineux, et enfin de fruits, pour le dessert.

Comment assaisonner une salade?

Un vieil adage conseille d'être quatre pour ce travail: un sage pour le sel, un avare pour le vinaigre, un prodigue pour l'huile et un fou pour la tourner. Plus fort que Janus, ayez ces quatre faces en vous-même et la réussite est à portée de saladier.

Nous verrons en fait que les anciennes maximes demandent souvent à être interprétées en fonction des coutumes et des habitudes de l'époque.

En effet, si le sage a toujours raison d'être sage en matière de sel (artères coronaires et problèmes d'hypertension obligent!), le prodigue doit, pour les mêmes raisons, se refréner en ce qui concerne l'huile. L'avare, en revanche, doit témoigner de plus de générosité lorsqu'il dose le vinaigre (ou tout autre produit acidifiant). Le fou, quant à lui, peut aisément se faire assister d'ustensiles sophistiqués lorsqu'il s'agit de tourner la salade.

Nous verrons, au fil des pages, qu'aujourd'hui, les types d'assaisonnement sont multiples, pour ne pas dire innombrables.

Sauf pour ce qui est des salades de fruits, le point commun de toutes ces recettes, c'est la sauce! Mais quelle sauce? Ou quelles sauces?

Elles font l'objet d'une rubrique à part, riche et complète. Vous remarquerez, toutefois, que nos recettes n'utilisent pas toutes les variétés de vinaigres, huiles et moutardes dont nous vous donnons la liste et la composition. Nous vous laissons donc la joie d'expérimenter vous-même des mélanges à votre convenance.

Vinaigres,
huiles,
moutardes
et
sauces pour salades

Vinaigres de plantes

1. Vinaigre d'aneth
2. Vinaigre d'échalote
3. Vinaigre d'estragon
4. Vinaigre à l'hysope
5. Vinaigre de menthe
6. Vinaigre à la sariette
7. Vinaigre de sureau
8. Vinaigre "toutes herbes"

Vinaigres de fruits

9. Vinaigre de framboise, de fraise ou de cassis

Vinaigres de miel

10. Vinaigre de miel (recette de base)
11. Vinaigre à l'anisette
12. Vinaigre au cointreau
13. Vinaigre au vermouth

Huile aux épices

14. Huile au curcuma

Huile aux crustacés

15. Huile de crustacés

Huile aux truffes

16. Huile de truffe

Moutardes

17. Moutarde aux herbes aromatiques
18. Moutarde à l'orange
19. Moutarde au citron vert
20. Moutarde à l'estragon

Sauces pour salades

21. *Vinaigrette (recette de base)*
22. *Vinaigrette à la moutarde*
23. *Sauce mayonnaise (recette de base)*
24. *Mayonnaise aux herbes aromatiques*
25. *Sauce au cari*
26. *Mayonnaise à l'ail*
27. *Mayonnaise aux câpres ou aux cornichons*
28. *Sauce à la crème*
29. *Sauce au yogourt*
30. *Sauce au roquefort*
31. *Sauce selon James de Coquet*
32. *Coulis de tomate (recette de base)*
33. *Coulis à froid*
34. *Coulis aux oeufs durs et à la moutarde*

Vinaigres

Vous allez rencontrer le vinaigre pratiquement dans chaque recette de ce volume.

La solution la plus simple est bien évidemment de l'acheter.

La solution la meilleure est de le faire chez soi. C'est relativement facile. Il suffit d'avoir du soin, de la patience, un tonnelet de bois d'une contenance de 10 litres (40 tasses ou environ 10 pintes) (ce qui suffit amplement pour une famille moyenne) ou un vinaigrier en grès d'une contenance moindre.

Fabriquer son propre vinaigre

La souche indispensable est cette membrane gélatineuse qu'on appelle *mère-vinaigre*. Pour l'obtenir, laissez un liquide alcoolisé, vin rouge, vin blanc, cidre, bière ou champagne, au contact de l'air ambiant. Plus simplement, laissez débouchée une bouteille dans laquelle il reste un ou deux verres de liquide alcoolisé. Au bout de quelque temps se produit une fermentation sous l'action d'un champignon, qui se manifeste par une pellicule blanchâtre à la surface du liquide. Peu à peu, cette pellicule épaissit, transforme l'alcool en acide acétique et devient la *mère*.

Mettez cette *mère* dans le tonnelet que vous aurez préparé suivant les indications que ne manquera pas de vous prodiguer celui qui vous le vendra (ou dans le vinaigrier de grès). Versez sur la *mère* une bouteille de vinaigre de bonne qualité, *non pasteurisé* pour faire démarrer la fermentation et pour éviter le développement de bactéries. Ajoutez du vin jusqu'au niveau de l'aération, laissez à une température de 18°C (65°F) à 20°C (68°F) et attendez au moins un mois avant de soutirer du vinaigre. Remplacez immédiatement par du vin le volume de vinaigre soutiré. Il est recommandé de soutirer une bonne quantité de vinaigre d'un seul coup (0,5 litre (2 tasses) par exemple) plutôt que de venir tous les jours prendre la quantité nécessaire pour la salade.

Une autre méthode consiste à mettre la *mère* dans le tonneau et à verser dessus juste assez de vin pour qu'elle soit recouverte. Attendez ensuite un mois sans toucher à rien, sans enlever le bouchon du tonneau pour voir comment "ça se passe là-dedans".

Au bout de ce temps, ajoutez en deux ou trois fois la quantité de vin que vous destinez à devenir du vinaigre et attendez encore au moins un mois avant de soutirer votre première bouteille.

Tous les ans, retirez la *mère* et, si elle a beaucoup proliféré, amputez-la pour qu'elle reste à ses dimensions initiales. Vous pouvez garder quelques jours dans un bocal fermant hermétiquement la partie de la *mère* dont vous n'avez plus besoin. Recouvrez-la de vinaigre et offrez-la à une amie qui, elle aussi, souhaite faire elle-même son vinaigre.

Mais, me direz-vous, quel vin mettre dans le tonnelet? De préférence un vin un peu acide comme le beaujolais. Vous aurez du vinaigre de vin rouge.

Si vous voulez du vinaigre de vin blanc, mettez un muscadet, un aligoté bourguignon, un apremont savoyard, ou tout vin blanc sec de qualité honorable.

Si vous voulez du vinaigre de champagne, utilisez un champagne brut, bien sûr.

Même procédé pour le vinaigre de xérès, peut-être le plus subtil.

Toutefois, il est rare que, pour l'usage familial, on fabrique des vinaigres si divers. Je ne vous le conseille d'ailleurs pas.

Mieux vaut vous procurer ces différents vinaigres dans une épicerie fine, où vous les achèterez par demi-bouteille. Vous éviterez du gâchis.

Toutefois, vous pouvez utilement fabriquer le vinaigre de cidre en faisant fermenter à l'air du bon cidre. Quand vous avez obtenu la *mère*, nourrissez-la de cidre dans un vinaigrier qui lui sera réservé.

Souvent, les ménagères économes font leur vinaigre avec tous les restes de vins de table, à condition qu'ils soient de bonne qualité s'entend. Et elles mélangent avec succès vins blancs et vins rouges.

Il est ainsi possible de préparer chez soi, avec un rien de goût et de talent, tous ces vinaigres délicieux que l'on trouve également dans le commerce.

Les plus remarquables sont:
- le vinaigre de vin blanc sec;
- le vinaigre de vin blanc doux;
- le vinaigre de champagne;
- le vinaigre de vin rouge;

- le vinaigre de vin vieux;
- le vinaigre de xérès;
- et le vinaigre de cidre.

À noter que les vinaigres d'alcool ne sont guère utilisables dans les salades. Ils sont réservés aux cornichons et autres pickles.

Mentionnons enfin un vinaigre japonais doux et très fin, le vinaigre de riz (ou mitsukan).

Vinaigres aromatisés

La mode est actuellement aux vinaigres aromatisés. Nous vous donnons, dans les pages qui suivent, la manière de les faire chez vous. Cette liste n'est certainement pas complète (en cuisine, l'est-on jamais?). Ce sont les plus courants, à vous d'en oser d'autres. Je vous suggère d'utiliser de petites bouteilles de 0,25 litre (1 tasse) pour la confection de ces vinaigres aromatiques, pour qu'ils restent en parfait état, car vous ne les emploierez pas tous les jours et mieux vaut en avoir plusieurs en petite quantité pour varier la saveur de vos salades, et adapter au mieux les vinaigres aux préparations culinaires.

Vinaigres de plantes

La règle générale est de prendre un bon vinaigre de vin, bien clair.

• **Note:** Pour la fabrication du vinaigre maison, on doit utiliser des herbes fraîches et non des herbes séchées.

1. Vinaigre d'aneth

• 2 branches d'aneth frais et 1/2 c. à café (1/2 c. à thé) de graines d'aneth dans du vinaigre de vin blanc ou encore mieux, de champagne.

2. Vinaigre d'échalote

• Faites macérer plusieurs jours 2 échalotes hachées très menu et 4 ou 5 grains de poivre blanc dans 0,25 litre (1 tasse) de vinaigre de vin.

3. Vinaigre d'estragon

• Faites macérer pendant 3 semaines une belle branche d'estragon dans 0,25 litre (1 tasse) de vinaigre de vin.

4. Vinaigre à l'hysope

• Même recette que le vinaigre d'estragon (recette n° 3) (convient particulièrement au poisson).

5. Vinaigre de menthe

• 1 branche de menthe fraîche et 1/2 c. à dessert de sucre en poudre dans 0,25 litre (1 tasse) de vin rouge.

6. Vinaigre à la sariette

• Même recette que le vinaigre d'estragon (recette n° 3).

7. Vinaigre de sureau

• Faites sécher pendant une quinzaine de jours 1 tête de fleurs de sureau. Mettez-la ensuite dans 0,25 litre (1 tasse) de vinaigre de vin. Macération: 3 semaines.

8. Vinaigre "toutes herbes"

• Enfin, comme il existe du miel "toutes fleurs", vous pouvez faire du vinaigre "toutes herbes" en mettant dans un pot en terre, avec couvercle, quelques branches de romarin, 4 ou 5 gousses d'ail écrasées non pelées, un petit bouquet de sauge, des branches de thym, 4 ou 5 feuilles de laurier et un petit bouquet d'origan. Couvrez de vinaigre de vin et laissez macérer pendant 3 semaines.

Vinaigres de fruits

Ce sont les vinaigres les plus en vogue et leur délicatesse justifie souvent cet engouement. Vous les utiliserez dans beaucoup de salades, mais aussi pour déglacer certains jus de cuisson.

9. Vinaigre de framboise, de fraise ou de cassis

• Faites macérer dans un bocal à ouverture large (bocal pour les conserves familiales par exemple) 100 g (3 oz) de framboises bien mûres dans 0,3 litre (1 1/3 tasse) de vinaigre de vin *blanc*. Fermez hermétiquement et laissez reposer 3 semaines. Filtrez et jetez les fruits. Mettez le vinaigre en petites bouteilles. Même procédé pour les fraises et pour le cassis.

Variante

• Sur le même principe, il est possible de réaliser des vinaigres avec une infinité de fruits, en variant, selon son goût et son inspiration, le vinaigre de base qui peut être de vin blanc, de vin rouge, de champagne, de cidre, de porto, de sauternes, de xérès, etc.

10. Vinaigre de miel (recette de base)

• Faites macérer 250 g (8 oz) de miel d'acacia dans 1 litre (4 tasses) de vinaigre de cidre. N'employez que du miel d'acacia, les autres sont trop parfumés. À partir de ce vinaigre de cidre au miel, faites les vinaigres suivants.

11. Vinaigre à l'anisette

• Même méthode que la recette n° 10 mais ajoutez 1 c. à soupe (1 c. à table) d'anisette ou de pastis.

12. Vinaigre au cointreau

• 1 c. à soupe (1 c. à table) de cointreau et un zeste d'orange dans 0,3 litre (1 1/3 tasse) de vinaigre de cidre au miel (recette n° 10).

13. Vinaigre au vermouth

• Même méthode que la recette n° 10 mais ajoutez du vermouth Noilly Prat.

Si vous souhaitez préparer différents vinaigres aromatiques une bonne fois pour en avoir une provision pour plusieurs mois, voire plusieurs années, vous le pouvez facilement. Le vinaigre se conserve parfaitement dans des bouteilles remplies à ras bord, hermétiquement bouchées, couchées dans un endroit sombre. Ainsi traité, le vinaigre, comme le vin, se bonifie en vieillissant. Mais toute bouteille ouverte et entamée se conserve peu. C'est pourquoi je vous conseille encore une fois d'utiliser de petites bouteilles pour stocker votre vinaigre.

Huiles

Il n'est certes pas question de fabriquer l'huile de table artisanalement à la maison.

Mais encore faut-il savoir l'acheter et la choisir en fonction de sa destination.

Les supermarchés comme les épiceries fines en proposent aujourd'hui une grande variété. Les quelques conseils qui suivent vous aideront à faire votre sélection.

Huile d'arachide

L'huile d'arachide est fabriquée à partir des cacahuètes. Elle est pratique car elle ne rancit pas et n'ayant presque pas de goût, elle n'intervient pas dans la saveur des plats.

Huile de maïs

L'huile de maïs appelle les mêmes réflexions que l'huile de tournesol. *voir* p. 35.

Huile de noisette

L'huile de noisette, absolument délicieuse, est à traiter comme l'huile de noix. Mais sa saveur est plus subtile.

Huile de noix

L'huile de noix est précieuse; elle a un goût assez fort. Elle ne laisse pas indifférent; ou bien on en raffole, ou bien on n'aime pas du tout. Je vous suggère de ne pas l'employer seule, même si vous l'aimez beaucoup. Faites vos sauces en utilisant moitié huile de noix et moitié huile d'arachide ou de tournesol. Conservez-la toujours à l'abri de la lumière, c'est pourquoi vous devrez laisser la bouteille enveloppée de papier. Elle rancit assez vite.

Huile d'olive

L'huile d'olive. Pour les salades, c'est incontestablement la meilleure. La plus réputée est celle de Nice. Les plus fruitées sont fabriquées en Provence où de vieux moulins d'autrefois tournent encore et où leurs propriétaires se transmettent les consignes et tours de main de génération en génération. Mais il en existe de très bonnes aussi, pressées dans tout le bassin méditerranéen: Grèce, Italie, Espagne ou Tunisie, par exemple.

Huile de paraffine

L'huile de paraffine. Elle n'est absolument pas assimilée par l'organisme. C'est pourquoi elle est recommandée dans les régimes amaigrissants. Vous trouvez, en pharmacie, de l'huile de paraffine aromatisée soit à l'estragon, soit à la noisette. Il est impossible de l'employer pour la cuisson. Vous pouvez l'employer moitié-moitié avec l'huile de noisette ou de noix, dans les salades.

Huile de pépins de raisin

L'huile de pépins de raisin est excellente pour les marinades et macérations et supporte très bien la cuisson.

Huile de soja

L'huile de soja rancit très vite, mais elle est à la mode.

Huile de tournesol

L'huile de tournesol est recommandée par les diététiciens et pour les régimes des malades qui ont des problèmes avec leur taux de cholestérol sanguin. Elle permet de conserver longtemps la mayonnaise. Elle a très peu de goût et peut être un peu indigeste si elle cuit trop.

Un truc pour donner à vos salades le goût d'huile de noix: ajoutez une pincée de cari à de l'huile d'arachide ou de tournesol, quand vous faites la vinaigrette. C'est à s'y tromper, mais c'est plus digeste.

Huiles aromatisées

Tout comme le vinaigre, l'huile peut être agréablement parfumée.

Tout comme pour le vinaigre, je vous conseille de n'en préparer qu'une petite quantité à la fois car les arômes, surtout lorsqu'ils sont subtils, sont volatils et se dispersent rapidement.

Utilisez toujours des huiles de première qualité et n'employez jamais exclusivement une huile aromatisée pour préparer une vinaigrette ou une mayonnaise. Coupez-la avec de l'huile d'arachide ou de tournesol dans la proportion de 2 cuillerées d'huile parfumée pour 1 cuillerée d'huile neutre.

Cette suggestion n'a toutefois rien d'absolu et ne prend pas en compte vos goûts personnels qui détermineront réellement vos propres mélanges.

• **Note:** Pour préparer des huiles aux herbes, on doit utiliser des herbes fraîches et non des herbes séchées.

Huiles aux herbes du jardin

Toutes les herbes du jardin se prêtent à parfumer les huiles.

Huile au basilic

Donne 0,5 litre (2 tasses)

• Faites macérer 1 mois à l'abri de la lumière 4 ou 5 branches de basilic (lavées et bien essuyées) dans 0,5 litre (2 tasses) d'huile d'olive extra-fine. De la même façon et selon des proportions voisines, nuancées par votre goût propre, préparez: *huile à l'estragon, à la sariette, à la sauge, à l'origan, au romarin, au thym, au cerfeuil, etc.*

Huiles aux épices

14. Huile au curcuma

Donne 0,5 litre (2 tasses)

• Mettez 1 petite c. à café (1 petite c. à thé) de curcuma dans 0,5 litre (2 tasses) d'huile d'arachide, ainsi que 5 ou 6 grains de piment de la Jamaïque et 10 grains de poivre vert, 10 de poivre blanc, 10 de poivre noir et 10 de poivre rose. Laissez macérer un bon mois à l'abri de la lumière. Servez-vous de cette huile pour les salades de riz, par exemple.
• À votre convenance, vous pourrez préparer d'autres huiles parfumées avec d'autres épices telles que la coriandre, le cari, le piment, le paprika, le gingembre, le safran, etc.

15. Huile de crustacés

Donne 1 litre (4 tasses)

• Faites sécher au four des carapaces de homard, de langouste, de langoustines ou d'écrevisses. Broyez-les grossièrement. Mettez-les dans 1 litre (4 tasses) d'huile d'arachide et faites chauffer lentement jusqu'à ce que votre huile se colore fortement. Mettez ce mélange dans de petits bocaux à fermeture hermétique. Faites stériliser pendant 40 minutes. Filtrez au moment de servir.

• Au Moyen Âge, les coffres de crustacés séchés au feu et broyés passaient pour aphrodisiaques, qu'ils soient ou non macérés dans l'huile. Et si nous continuions à y croire?

Huile aux truffes

16. Huile de truffe

Donne 1 litre (4 tasses)

• La merveille des merveilles. Brossez, lavez et épongez soigneusement une truffe de 40 à 50 g (1 1/2 à 2 oz). Quand elle est bien sèche, plongez-la dans un bocal contenant 1 litre (4 tasses) d'huile de tournesol ou de maïs. Vous pouvez aussi prendre de l'huile d'olive. Laissez macérer un mois, à l'abri de la lumière, au frais. Utilisez cette huile pour de la salade de pommes de terre, des poireaux en vinaigrette, des fonds d'artichaut ou le foie gras en salade.

Moutardes

Elles sont faites de graines de moutarde noire (ou sénevé), épicée et piquante, réduites en farine, mouillées de vinaigre et parfumées d'épices ou d'herbes aromatiques. On en trouve dans le commerce d'excellentes, très diverses et de bonne conservation.

Si vous souhaitez, et vous auriez raison, préparer vos moutardes vous-même, voici comment procéder.

17. Moutarde aux herbes aromatiques

Donne 250 ml (1 tasse)

30 g (1 oz) de graines de moutarde blanche
30 g (1 oz) de graines de moutarde noire
1/4 c. à café (1/4 c. à thé) de poivre aux herbes (voir composition plus bas*)
1/4 c. à café (1/4 c. à thé) de sel
1/4 c. à café (1/4 c. à thé) d'écorce de citron et d'orange
1 c. à café (1 c. à thé) de miel d'acacia (c'est celui qui a le moins de goût, donc qui ne gêne pas les autres parfums)
1 pincée de curcuma
Du vinaigre aux herbes en quantité suffisante pour obtenir une purée assez épaisse

• Broyez tous ces éléments au mixer et conservez dans de petits pots fermés par un bouchon de liège.

* Poivre aux herbes:

30 g (1 oz) de poivre blanc en grains
30 g (1 oz) de poivre noir en grains
7 g (1/4 oz) de thym
7 g (1/4 oz) de sariette   } **séchés et pulvérisés**
7 g (1/4 oz) d'origan
1 pincée de romarin

• **Note:** C'est volontairement que je vous donne des proportions trop importantes pour la seule fabrication de la moutarde, car vous pourrez conserver ce poivre dans de petits pots bien fermés et les utiliser en cuisine, sur des grillades, par exemple.

18. Moutarde à l'orange

Donne 250 ml (1 tasse)

30 g (1 oz) de graines de moutarde blanche
30 g (1 oz) de graines de moutarde noire (ou sénevé)
1/4 c. à café (1/4 c. à thé) de poivre noir et de poivre blanc en quantités égales, bien broyés
1/4 c. à café (1/4 c. à thé) de sel
1 c. à café (1 c. à thé) d'écorce d'orange séchée
1 c. à café (1 c. à thé) de miel d'acacia
1 pincée de curcuma
Un mélange de jus d'orange et de citron en quantité suffisante pour obtenir une purée assez épaisse, une fois toutes les composantes de cette moutarde bien broyées au mixer

19. Moutarde au citron vert

Donne 250 ml (1 tasse)

• Même recette que la moutarde à l'orange (recette n° 18), mais remplacez les écorces d'orange par des écorces séchées de citron vert et le jus d'orange par du jus de citron vert.

20. Moutarde à l'estragon

Donne 250 ml (1 tasse)

• Même recette que la moutarde à l'orange (recette n° 18), mais remplacez les écorces d'orange par des feuilles séchées d'estragon, et le jus d'orange par du vinaigre d'estragon.

• *À partir de ces recettes de base, rien ne devrait vous arrêter si vous désirez varier vos moutardes à l'infini et étonner agréablement vos convives.*

Moutarde forte de Dijon

À côté des moutardes aromatisées, il existe des moutardes dites *fortes*. La plus célèbre est *la moutarde de Dijon*. Sa couleur est jaune clair, bien qu'elle soit faite à partir de graines de moutarde noire, car on a retiré la silique foncée. Ces graines sont mélangées à du vin blanc et à des épices. Je ne vous conseille pas de vous mesurer avec les moutardiers de Dijon! Achetez donc simplement leurs produits...

Moutarde de Meaux

Il en va de même pour *la moutarde de Meaux*, également de grande réputation, qui est faite de graines concassées très grossièrement, mélangées à du vinaigre et à des épices dont les proportions et la composition relèvent du secret de fabrication.

Sauces pour salades

• **Note:** Pour réaliser des vinaigrettes et des sauces à salade, il est toujours préférable d'utiliser des herbes fraîches. À défaut, il est également possible de se servir d'herbes séchées.

---

21. Vinaigrette (recette de base)

Donne 250 ml (1 tasse)

La bonne proportion pour une vinaigrette est de 2/3 d'huile pour 1/3 de vinaigre ou de citron.

• Ajoutez du sel et du poivre, à votre goût.
• Il est préférable de faire fondre le sel dans le vinaigre ou le jus de citron, il sera mieux réparti sur la salade.
• Cette sauce se présente sous des aspects multiples, en raison de la grande variété des huiles et des vinaigres qui peuvent entrer dans sa composition. Nous ne vous donnons bien évidemment pas leur énumération, puisque vous les trouvez aux rubriques correspondantes et que, pour chaque recette, nous vous indiquons la sorte d'huile et de vinaigre qu'il convient d'employer.

---

22. Vinaigrette à la moutarde

Donne 250 ml (1 tasse)

• Pour les recettes de vinaigrette dans la composition desquelles entre de la moutarde, la proportion est de 1 c. à café (1 c. à thé) de moutarde pour 3 c. à soupe (3 c. à table) d'huile et 1 c. à soupe (1 c. à table) de vinaigre ou de jus de citron.
• Toutefois, si vous employez de la moutarde forte (de Dijon), mettez-en peut-être un peu moins que de moutarde aromatique.

23. Sauce mayonnaise (recette de base)

Donne 250 ml (1 tasse) de mayonnaise

1 jaune d'oeuf très frais
Son volume de moutarde
180 ml (3/4 tasse) d'huile
4 c. à soupe (4 c. à table) de vinaigre ou 4 c. à soupe (4 c. à table) de jus de citron
Sel et poivre

• Mettez le jaune d'oeuf dans un bol assez grand.
• Ajoutez-lui son volume de moutarde.
• Mélangez bien.
• Mettez le sel à fondre dans une petite coupelle avec le vinaigre (ou le jus de citron).
• Faites tomber l'huile petit à petit en filet sur le mélange oeuf-moutarde, sans cesser de remuer, toujours dans le même sens. La sauce doit épaissir et être bien ferme.
• Ajoutez le vinaigre (ou le jus de citron) salé, puis le poivre.
• Réservez au frais, mais pas au froid.
• **Quelques conseils** pour réussir une mayonnaise. Il faut que tous les ingrédients soient à la même température. Rassemblez-les donc au moins 30 minutes à l'avance, à la cuisine.
• Quand la sauce est terminée, si vous voulez la rendre plus légère, ajoutez-y 2 c. à soupe (2 c. à table) d'eau très chaude. Ce *truc* est valable aussi au cas où votre sauce fait mine de tourner.

• **Note:** Pour faire une mayonnaise, vous pouvez utiliser n'importe laquelle des huiles dont il est question à la rubrique des huiles et huiles aromatisées (*voir* p. 34-35), de même pour les vinaigres (*voir* p. 28), et aussi pour les moutardes (*voir* p. 38). Nous ne vous indiquons donc pas ici les nombreuses possibilités qui vous sont ainsi offertes pour varier cette sauce.
• Toutefois, il existe encore d'autres variantes.

24. Mayonnaise aux herbes aromatiques

Donne 250 ml (1 tasse)

• Faites votre mayonnaise de base (recette n° 23) à l'huile de tournesol et au vinaigre de vin et employez de la moutarde de Dijon.
• Quand votre sauce est terminée, incorporez-y un hachis de fines herbes fraîches, soit une seule catégorie, soit un mélange de plusieurs: estragon, persil, cerfeuil, sariette, sauge, ciboulette ou basilic, etc.

25. Sauce au cari

Pour 6 personnes

3 c. à soupe (3 c. à table) de mayonnaise (recette n° 23)
2 c. à soupe (2 c. à table) de crème fraîche (crème à 35 p. 100)
1 petite pomme râpée
1 petit oignon râpé
1 c. à soupe (1 . à table) de poudre de cari (plus si vous voulez)
3 tours de moulin à poivre
1 pincée de poivre de Cayenne (si vous aimez particulièrement les mets très épicés)
Le jus d'un citron

• Épluchez et épépinez la pomme. Coupez-la en quartiers.
• Épluchez l'oignon et coupez-le en quartiers. Broyez-les ensemble au mixer jusqu'à obtenir une véritable purée.
• Mélangez, dans un bol, la mayonnaise, la crème fraîche, la purée pomme-oignon, le jus de citron, le poivre de Cayenne et le cari (facultatif).
• Battez bien à la fourchette pour bien mélanger le tout et réservez au frais.
• Vous pouvez conserver cette sauce plusieurs jours au réfrigérateur si vous la mettez dans un pot qui ferme bien.

26. Mayonnaise à l'ail

Donne 250 ml (1 tasse)

• Ajoutez à la mayonnaise de base (recette n° 23) terminée 2 gousses d'ail frais, épluchées et réduites en purée.

27. Mayonnaise aux câpres ou aux cornichons

Donne 250 ml (1 tasse)

• Acidulez la mayonnaise de base (recette n° 23) avec le vinaigre dans lequel les câpres sont conservées.
• Hachez rapidement 2 c. à soupe (2 c. à table) de câpres et incorporez-les à la mayonnaise.
• Procédez de la même façon avec 3 ou 4 cornichons au vinaigre.
• Ou faites un mélange de 1 c. à soupe (1 c. à table) de câpres et de 1 c. à soupe (1 c. à table) de cornichons hachés.

28. Sauce à la crème

Pour 6 personnes

300 g (10 oz) de crème fraîche (crème à 35 p. 100)
Le jus d'un gros citron (ou de 2 plus petits)
Sel et poivre
Parfum au choix: 1 c. à soupe (1 c. à table) d'une de ces herbes fraîches hachées ou 1 c. à café (1 c. à thé) d'une de ces herbes séchées (ciboulette, menthe, persil, cerfeuil ou estragon)

• Battez dans un bol, à la fourchette, le jus de citron dans lequel vous aurez fait fondre le sel, la crème fraîche et le poivre.

• Servez cette sauce telle quelle ou parfumée avec une des herbes aromatiques mentionnées ci-dessus.

Variantes

• Vous pouvez modifier cette sauce en lui adjoignant:
  A) 2 tomates moyennes bien fermes, dont vous aurez broyé la pulpe au mixer;
     1 pincée de poivre de Cayenne;
  B) 1/2 c. à café (1/2 c. à thé) de cumin en poudre;
  C) 1 c. à soupe (1 c. à table) de moutarde à l'orange;
  D) en remplaçant le jus de citron par 2 c. à soupe (2 c. à table) de vinaigre de xérès.

29. Sauce au yogourt

Pour 6 personnes

200 ml (7 oz) de yogourt au naturel
2 gousses d'ail pressées
1 c. à soupe (1 c. à table) d'huile
1 c. à soupe (1 c. à table) de menthe fraîche
Le jus d'un citron
Sel et poivre

• Épluchez les gousses d'ail et pressez-les au-dessus des yogourts que vous aurez mis dans un grand bol.
• Ajoutez l'huile, le sel, le poivre et le jus de citron.
• Battez bien à la fourchette pour obtenir un bon amalgame.
• Coupez les feuilles de menthe fraîche bien lavées et essuyées. Faites-le avec les ciseaux (et non pas au mixer). Incorporez le hachis de menthe à la sauce et servez très frais.

30. Sauce au roquefort

Pour 6 personnes

1 jaune d'oeuf cru
1 c. à soupe (1 c. à table) de moutarde de Dijon
100 g (3 oz) de fromage roquefort
200 g (7 oz) de crème fraîche (crème à 35 p. 100)
3 tours de moulin à poivre
Le jus d'un citron

• Broyez le roquefort à la fourchette. Mélangez-le bien avec le jaune d'oeuf et la moutarde. Mouillez avec le jus du citron. Ajoutez petit à petit la crème fraîche comme vous le feriez avec l'huile s'il s'agissait d'une mayonnaise, sans cesser de tourner. Poivrez.
• Gardez au frais jusqu'au moment de servir. Cette sauce ne doit pas être conservée plus de 24 heures.

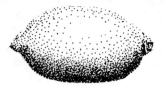

31. Sauce selon James de Coquet

Pour 6 personnes

2 c. à café (2 c. à thé) de moutarde à l'estragon
2 oeufs durs
Le jus de 2 citrons
180 ml (3/4 tasse) d'huile d'olive
Sel et poivre
1 gousse d'ail
2 échalotes
1 petit bouquet de persil frais ou 1 c. à café (1 c. à thé) de persil séché
1 bouquet de cerfeuil frais ou 1 c. à café (1 c. à thé) de cerfeuil séché
3 belles branches d'estragon frais ou 1 c. à café (1 c. à thé) d'estragon séché
3 branches de céleri bien blanc
1 branche de sariette fraîche ou 1/2 c. à café (1/2 c. à thé) de sariette séchée
1 bouquet de ciboulette fraîche ou 1 c. à café (1 c. à thé) de ciboulette séchée
3 ou 4 branches d'hysope
3 feuilles d'oseille fraîche ou en conserve
1 petit bouquet de basilic frais ou 1 c. à café (1 c. à thé) de basilic séché

• Pour obtenir des oeufs durs, faites cuire les oeufs dans l'eau bouillante salée pendant 10 minutes. Passez-les sous l'eau froide et écalez-les. Séparez les blancs des jaunes.
• Mettez les jaunes dans un grand bol et écrasez-les à la fourchette. Ajoutez la moutarde (le même volume de moutarde que de jaunes d'oeufs) et mélangez bien pour obtenir une purée lisse.
• Ajoutez l'huile en filet, peu à peu comme vous le feriez pour une mayonnaise. Salez, poivrez et ajoutez le jus des deux citrons.
• Lavez, épluchez et essorez soigneusement toutes les fines herbes fraîches. Épluchez les échalotes et la gousse d'ail, coupez-les en 3 ou 4 morceaux.
• Mettez toutes les herbes, l'ail, l'échalote et les blancs d'oeufs durs dans le mixer et broyez jusqu'à l'obtention d'une purée blanche et verte.
• Mélangez à la sauce aux jaunes d'oeufs en fouettant pour que l'amalgame se fasse bien.
• Conservez au frais au réfrigérateur dans un récipient fermé.

• **Note:** Cette sauce peut se conserver plusieurs jours.

32. Coulis de tomate (recette de base)

Pour 6 personnes

1,2 kg (2 lb 10 oz) de tomates bien mûres et fermes
2 échalotes
1 branche de basilic (ou d'estragon) frais ou 1 c. à café (1 c. à thé) de basilic ou
    d'estragon séché
1 pincée de poudre d'anis
Quelques graines de coriandre
1 petite branche de thym frais ou 1 c. à café (1 c. à thé) de thym séché
1 c. à soupe (1 c. à table) d'huile d'olive
15 g (1 c. à table) de beurre
Sel et poivre

- Plongez les tomates l'une après l'autre dans l'eau bouillante pendant 2 secondes, pour pouvoir les peler plus facilement.
- Coupez-les en 4 et enlevez les pépins et le plus possible d'eau de végétation.
- Mettez l'huile dans une casserole à feu doux.
- Ajoutez les échalotes hachées menu. Faites-les blondir mais pas dorer. Coupez les tomates en petits morceaux et mettez-les aussi dans la casserole, avec le basilic, le thym émietté, l'anis et les graines de coriandre. Salez et poivrez. Montez un peu le feu pour faire bouillotter pendant 15 minutes.
- Broyez au mixer, puis passez au tamis. Remettez sur le feu pour faire évaporer l'excès d'eau, s'il y a lieu.
- Retirez du feu et ajoutez le beurre pour qu'il fonde rapidement. Mélangez bien.
- Ce coulis peut être conservé 2 ou 3 jours au réfrigérateur.

- **Note:** On peut réaliser des variantes de cette recette.

33. Coulis à froid

Pour 6 personnes

• Mettez tous les éléments du coulis de tomate (recette n° 32) dans le mixer et broyez finement. N'ajoutez pas de beurre, l'huile d'olive suffit. Ce coulis, très parfumé, ne peut pas être gardé plus de 24 heures.

34. Coulis aux oeufs durs et à la moutarde

Pour 6 personnes

• Faites un coulis de tomate (soit à chaud, soit à froid) (recette n° 32 ou 33). Pour 6 personnes, faites cuire 2 oeufs durs. Pour obtenir des oeufs durs, faites cuire les oeufs 10 minutes dans l'eau bouillante salée. Ne gardez que les jaunes que vous broyez à la fourchette et auxquels vous ajoutez le même volume de moutarde à l'estragon. Amalgamez parfaitement jaunes d'oeufs et moutarde et ajoutez petit à petit le coulis comme vous le feriez avec l'huile dans une sauce mayonnaise.

Salades
de
légumes crus
et de
fruits salés

Salades de légumes crus et de fruits salés

35. Plateau de crudités
36. Avocats à la crème
37. Cardon en salade
38. Fonds d'artichaut aux anchois
39. Carottes râpées à la marocaine
40. Salade de céleri
41. Salade de céleri-rave
42. Céleri-branche en salade
43. Salade chinoise au chou
44. Concombres à l'indienne
45. Concombres en salade aux oeufs mollets
46. Salade d'endives aux fruits
47. Épinards crus sauce roquefort
48. Épinards crus aux champignons en salade
49. Salade de fenouil
50. Fenouil sauce au bleu
51. Laitue à l'orange en salade
52. Salade de mâche au roquefort
53. Navets aux noisettes en salade
54. Pissenlits aux oeufs pochés
55. Salade de poivrons
56. Salade rouge aux pommes vertes
57. Salade de romaine à l'orange
58. Tomates aux fines herbes
59. Tomates au fromage en salade
60. Tomates et radis en chemise rose
61. Tomates et poivrons au fromage de campagne
62. Tomates en salade au fromage de brebis
63. Salade d'Angosar
64. Salade César
65. Salade du guide savoyard
66. Salade hawaïenne
67. Salade niçoise
68. Salade du Pain de sucre
69. Salade paysanne
70. Salade tricolore
71. Mesclun aux lardons
72. Meslun aux oeufs durs sauce piquante

73. *Mesclun aux tomates*
74. *Mesclun à l'antillaise*
75. *Salade amère au fromage chaud*
76. *Salade de chicorée aux oeufs durs*
77. *Salade d'hiver aux oeufs pochés*
78. *Salades d'hiver à la pâte de soja (tofu)*
79. *Salade d'hiver au cari*
80. *Salade diététique (ou presque)*
81. *Salade Waldorf*
82. *Salade du Mont-d'Or*
83. *Pamplemousse rose en salade*
84. *Salade de bananes vertes (plantains)*

35. Plateau de crudités

Pour le nombre de personnes de votre choix

Cette présentation de salades vaut plus pour un buffet que pour un repas traditionnel. Elle permet de composer une palette de couleurs et de formes bien
agréable à voir et encore plus à déguster.

Suivant les disponibilités de la saison et du marché, présentez tout ou partie des
légumes suivants, pourvu qu'ils soient très frais:

radis, tomates, céleri-branche que vous aurez coupé en tronçons de 4 à 5 cm
(1 1/2 à 2 po), concombre coupé en bâtonnets, carottes râpées moulées en
dôme, très petites courgettes pochées quelques minutes dans l'eau bouillante sans être épluchées, betteraves rouges cuites à la vapeur et coupées
en petits dés, présentées dans un ravier à part pour qu'elles ne tachent pas
de rouge les autres légumes, champignons roses (ou de Paris, eux aussi en
ravier à part, essuyés soigneusement et arrosés généreusement de jus de
citron pour qu'ils ne noircissent pas), petits bouquets de chou-fleur frais et
crus, petits bouquets de brocoli crus également, poivrons rouges, jaunes et
verts coupés en très fines lamelles, coeur de fenouil détaillé en bâtonnets,
chou rouge râpé finement et présenté en ravier, surmonté de rondelles
d'oignons, haricots verts très fins, pochés 8 minutes à l'eau bouillante salée
et liés en petites bottes, pointes d'asperges également liées en botte, fonds
d'artichaut cuits et coupés en lamelles, présentés en ravier et arrosés de jus
de citron pour qu'ils ne noircissent pas, etc.

• Tout autour de ce plateau, disposez des coupelles dans lesquelles vous
aurez mis un assortiment des sauces: mayonnaise (recette n° 23), vinaigrettes (recette n° 21) et sauces diverses que nous vous proposons au
chapitre des sauces (*voir* page 41). Pour plus de commodité, posez un
petit carton indiquant sommairement la composition de chacune des
sauces que vous servez. Vous éviterez à vos invités de se servir d'une
sauce qu'ils n'aiment pas, ou de s'abstenir, faute d'information.

36. Avocats à la crème

Pour 6 personnes

1 botte de cresson
3 avocats
3 c. à soupe (3 c. à table) d'oeufs de lump
150 g (5 oz) de crème fraîche assez liquide (crème à 12 ou à 15 p. 100)
Le jus d'un citron
Poivre

• Épluchez et lavez soigneusement le cresson. Laissez égoutter et réservez assez de feuilles pour garnir le fond du plat de service.
• Hachez au mixer les autres feuilles de cresson et incorporez-les à la crème fraîche. Assaisonnez avec le jus de citron et le poivre et mélangez bien.
• Ouvrez les avocats par le milieu dans le sens de la longueur. Enlevez le noyau et la peau. Coupez-les en lamelles.
• Nappez-les de sauce après les avoir disposés sur le lit de cresson et répartissez les oeufs de lump dessus.
• Servez très frais.

• **Note:** Il faut avoir votre sauce prête avant de couper les avocats pour pouvoir les en recouvrir tout de suite. Vous éviterez qu'ils ne prennent une teinte peu appétissante s'ils étaient en contact avec l'air.

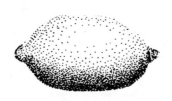

37. Cardon en salade

Pour 6 personnes

3 branches du coeur du cardon
1 gousse d'ail
4 filets d'anchois
Le jus d'un citron et demi
Vinaigrette à l'huile d'olive (recette n° 21)
1 c. à café (1 c. à thé) de persil frais haché ou 1 pincée de persil séché

• Choisissez un cardon bien frais. Prenez les branches intérieures les plus blanches et les plus tendres (vous ferez cuire les autres).
• Débarrassez ces côtes des barbes de feuilles et enlevez les filaments.
• Coupez-les en lamelles fines et arrosez-les immédiatement du jus de citron pour qu'elles n'aient pas le temps de noircir.
• Mettez les anchois sous un filet d'eau courante pendant au moins 30 minutes. Essuyez-les ensuite et enlevez l'arête dorsale.
• Épluchez la gousse d'ail. Ouvrez-la par le milieu pour retirer le germe qui la rend indigeste.
• Pilez l'ail et les filets d'anchois ensemble jusqu'à ce que vous ayez une pâte que vous mélangerez à la vinaigrette (recette n° 21).
• Versez cette sauce sur les cardons.
• Parsemez d'un peu de persil haché.

38. Fonds d'artichaut aux anchois

Pour 6 personnes

10 fonds d'artichaut (à la place des cardons)
Même recette et mêmes proportions que pour les cardons en salade (recette
n° 37)

- Faites cuire les artichauts parés à l'eau bouillante salée jusqu'à ce qu'une feuille prise au hasard se détache facilement.
- Enlevez les feuilles et le foin. Coupez les fonds en lamelles et arrosez-les de jus de citron.
- Procédez ensuite comme pour les Cardons en salade (recette n° 37).

---

39. Carottes râpées à la marocaine

Pour 6 personnes

500 g (1 lb) de carottes râpées
1 orange
1 citron
1 c. à soupe (1 c. à table) d'eau de fleur d'oranger
3 c. à soupe (3 c. à table) d'huile d'olive
50 g (2 oz) de raisins secs de Malaga
2 c. à soupe (2 c. à table) de graines de sésame grillées
Sel et poivre
1 c. à soupe (1 c. à table) de coriandre fraîche (à défaut, du persil) ou
    1 c. à café (1 c. à thé) de coriandre séchée

- Faites tremper les raisins dans l'eau de fleur d'oranger.
- Dans un saladier, mélangez l'huile et le jus de l'orange et du citron. Battez bien à la fourchette. Salez et poivrez.
- Râpez les carottes. Mettez-les dans le saladier. Versez dessus les raisins secs et l'eau de fleur d'oranger qu'ils n'auraient pas absorbée.
- Remuez bien. Saupoudrez de graines de sésame et de coriandre hachée.
- Servez très frais.

- **Note:** Vous pouvez peler à vif une deuxième orange et la couper en rondelles très fines pour décorer votre salade.

40. Salade de céleri

Pour 6 personnes

2 pieds de céleri-branche
200 g (7 oz) de gruyère
200 g (7 oz) d'olives noires dénoyautées
100 g (3 oz) de câpres
3 c. à soupe (3 c. à table) d'huile d'olive
2 c. à soupe (2 c. à table) de vinaigre de cidre
1 c. à soupe (1 c. à table) de yogourt
1 c. à dessert de moutarde douce
Sel et poivre
1 pincée de cari

- Lavez les céleris et enlevez les filaments des grosses côtes. Coupez-les en rondelles de 1 cm (1/2 po) de large.
- Coupez le fromage en petits dés.
- Dans le saladier, préparez la sauce en mélangeant d'abord la moutarde et le yogourt. Remuez à la cuillère de bois, puis incorporez petit à petit, l'huile en filet, toujours en remuant bien; ajoutez enfin le vinaigre, le sel, le poivre et le cari.
- Versez dans la sauce les rondelles de céleri, les dés de gruyère, les olives dénoyautées et les câpres égouttées et remuez bien pour que tous les éléments soient uniformément enrobés de sauce.
- Réservez au frais pendant au moins 1 heure avant de servir.

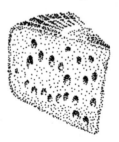

41. Salade de céleri-rave

Pour 6 personnes

• Vous pouvez utiliser cette recette en remplaçant le céleri-branche par un céleri-rave bien frais que vous éplucherez, que vous couperez en quartiers et que vous détaillerez en très petits dés (ou que vous passerez dans la grille à gros trous de la râpe à légumes). Il faudra l'enrober immédiatement de sauce pour qu'il ne noircisse pas.
• Remplacez les câpres par 100 g (3 oz) de cornichons coupés en fines rondelles, et décorez de quelques cerneaux de noix.

42. Céleri-branche en salade

Pour 6 personnes

1 beau pied de céleri-branche très blanc
3 grosses pommes rouges non pelées
80 g (2 3/4 oz) de cerneaux de noix
1 laitue croquante
Le jus d'un citron
1 tasse de mayonnaise au citron (recette n° 23)

• Épluchez le céleri et coupez les branches en petits tronçons.
• Coupez les pommes en tranches fines en leur conservant leur peau. Passez rapidement les tranches de pommes dans le jus de citron pour qu'elles restent bien blanches.
• Mettez quelques tranches de pomme de côté pour le décor.
• Mélangez le reste avec le céleri et les noix à la mayonnaise.
• Disposez les feuilles de laitue au fond et autour d'un saladier. Versez le mélange au milieu. Décorez des tranches de pomme réservées et servez rapidement.

• **Note:** Vous pouvez rendre cette salade plus nourrissante en ajoutant à la mayonnaise 50 à 70 g (2 à env. 2 1/2 oz) de roquefort bien broyé et mélangé à la sauce. Tout dépend du plat que vous servirez ensuite.

43. Salade chinoise au chou

Pour 6 personnes

1/2 chou chinois (ou un entier mais petit)
1 jeune poireau finement émincé
1 poivron vert épépiné et émincé
1/2 concombre
100 g (3 oz) de pousses de soja
1 petite c. à café (1 petite c. à thé) de gingembre en poudre
1 c. à soupe (1 c. à table) de ciboulette hachée ou 1 c. à café (1 c. à thé) de
    ciboulette séchée
6 c. à soupe (6 c. à table) de vinaigrette (recette n° 21)

• Mélangez le gingembre et la ciboulette à la vinaigrette et laissez macérer.
• Coupez le chou en lanières. Épluchez le concombre, enlevez le coeur où se trouvent les pépins et découpez la pulpe en bâtonnets.
• Émincez finement le jeune poireau et séparez les anneaux.
• Coupez le poivron (dont vous aurez éliminé les pépins et les membranes blanches) en petits dés.
• Mettez tous les éléments — y compris le soja — dans un grand saladier.
• Versez dessus la vinaigrette au gingembre. Remuez bien le tout et servez aussitôt.

44. Concombres à l'indienne

Pour 6 personnes

2 concombres
200 ml (7 oz) de yogourt
3 gousses d'ail
3 c. à soupe (3 c. à table) de menthe fraîche hachée ou 1 c. à soupe
(1 c. à table) de menthe séchée
Le jus d'un citron
Sel et poivre

• Épluchez les concombres et coupez-les en dés. Saupoudrez-les de sel et placez dans un égouttoir avec une assiette alourdie d'un poids par-dessus pour qu'ils perdent leur eau de végétation.
• Au bout d'une heure, lavez-les pour enlever le sel et laissez-les égoutter.
• Faites la sauce en mélangeant yogourt, menthe, ail broyé au mixer, poivre et jus de citron. Soyez très prudent avec le sel, les concombres restent généralement bien assez salés sans qu'il soit besoin de saler la sauce.
• Versez la sauce sur les concombres et réservez au froid au réfrigérateur jusqu'au moment de servir.

45. Concombres en salade aux oeufs mollets

Pour 6 personnes

1 ou 2 concombres (suivant leur grosseur)
6 oeufs très frais
4 c. à soupe (4 c. à table) de mayonnaise au citron (recette n° 23)
100 ml (3 oz) de yogourt entier
1 belle tomate bien mûre
2 c. à soupe (2 c. à table) de sherry (à défaut de porto)
Quelques gouttes de tabasco
Sel et poivre
1 pincée de poivre de Cayenne
2 c. à soupe (2 c. à table) d'un mélange de fines herbes fraîches hachées
    (basilic, persil, estragon, cerfeuil, ciboulette, sariette, thym, marjolaine,
    romarin, céleri — ou une partie d'entre elles, au hasard de l'approvision-
    nement) ou 2 c. à café (2 c. à thé) d'un mélange de ces herbes séchées
1 c. à café (1 c. à thé) de zeste d'orange râpé

- Faites cuire les oeufs 4 minutes à l'eau bouillante. Sortez-les et plongez-les dans l'eau bien froide. Écalez-les avec précaution car, si le blanc est pris, le jaune est encore liquide.
- Plongez la tomate dans l'eau bouillante pendant quelques secondes pour pouvoir l'éplucher facilement. Épépinez-la et jetez son eau de végé-tation. Écrasez-la au mixer et mélangez-la avec la mayonnaise, le yogourt, le sherry, le sel, le poivre, le poivre de Cayenne, le tabasco, les fines herbes et le zeste d'orange râpé.
- Épluchez le (ou les concombres) et coupez-les en petits dés. Mélangez-les tout de suite à la sauce et remuez bien.
- Posez les oeufs mollets dessus et servez immédiatement.

46. Salade d'endives aux fruits

Pour 6 personnes

5 à 6 endives (suivant leur grosseur) très fraîches
3 oranges
1 pamplemousse rose
1 c. à café (1 c. à thé) de moutarde (à l'orange de préférence) (recette n° 18)
1 c. à soupe (1 c. à table) de jus de citron
4 c. à soupe (4 c. à table) d'huile d'olive
2 c. à café (2 c. à thé) de persil frais haché ou 1 grosse pincée de persil séché
Sel et poivre

Pour le décor:

Feuilles de laitue
Quelques cerneaux de noix, si possible

- Enlevez les premières feuilles des endives, essuyez-les, mais, dans la mesure du possible, ne les lavez pas (si vous y êtes obligé, essuyez-les immédiatement pour qu'elles ne deviennent pas amères).
- Coupez les endives en rondelles fines.
- Épluchez les oranges et le pamplemousse. Enlevez la membrane blanche de chaque tranche de fruits. Mélangez-les avec les endives.
- Préparez la sauce en délayant la moutarde avec le jus de citron, puis ajoutez l'huile en filet en remuant constamment. Salez et poivrez.
- Tapissez le saladier avec les feuilles de laitue. Versez dessus le mélange endives-fruits. Nappez avec la sauce, saupoudrez de persil et si possible de quelques cerneaux de noix.
- Servez bien frais.

47. Épinards crus sauce roquefort

Pour 6 personnes

300 g (10 oz) de jeunes épinards
50 g (2 oz) de cerneaux de noix, hachés grossièrement
75 g (2 1/2 oz) de roquefort
4 c. à soupe (4 c. à table) de mayonnaise au citron (recette n° 23)
1 c. à soupe (1 c. à table) de persil frais haché ou 1 c. à café (1 c. à thé) de persil séché (facultatif)

- Équeutez et lavez soigneusement les épinards dans plusieurs eaux. Égouttez-les.
- Coupez-les en lanières.
- Écrasez le roquefort à la fourchette. Incorporez-le à la mayonnaise (ajoutez éventuellement le persil haché à la sauce au roquefort).
- Mettez les lanières d'épinards dans un saladier. Mélangez-les bien à la sauce et parsemez des morceaux de cerneaux de noix.
- Servez bien frais.

SALADE FORTE   NE pas manger en Grosse quantité
2A-7-8C

64

48. Épinards crus aux champignons en salade

Pour 6 personnes

400 g (14 oz) d'épinards en branches, jeunes et tendres
150 g (5 oz) de champignons de Paris
75 g (2 1/2 oz) de lard maigre
75 g (2 1/2 oz) de beurre salé
6 tranches de pain de mie
Le jus d'un citron
3 ou 4 gousses d'ail

Sauce:

6 c. à soupe (6 c. à table) d'huile d'olive
2 c. à soupe (2 c. à table) de vinaigre de vin
1 c. à café (1 c. à thé) de moutarde forte de Dijon
1 petite c. à café (1 petite c. à thé) d'herbes de Provence
1/2 c. à café (1/2 c. à thé) de paprika
Sel et poivre

- Équeutez les épinards. Lavez-les à grande eau et laissez-les égoutter complètement.
- Enlevez le bout sableux des champignons. Essuyez-les très soigneusement et coupez-les en fines lamelles. Arrosez-les immédiatement de jus de citron pour qu'ils restent blancs.
- Coupez le lard en petits dés et faites-le fondre très doucement dans une poêle jusqu'à ce qu'ils soient bien grillés.
- Faites griller les tranches de pain de mie et réservez-les au chaud après les avoir coupées dans la diagonale pour former de petits triangles.
- Épluchez les gousses d'ail et écrasez-les au mortier. Mélangez-les intimement au beurre salé réduit en pommade. Tartinez-en généreusement les triangles de pain grillé chaud.
- Faites rapidement la sauce en mélangeant tous les ingrédients.
- Dans un saladier, mélangez les feuilles d'épinards, les champignons et les lardons bien grillés. Renversez la sauce par-dessus et mélangez bien. Disposez les croûtons aillés tout autour du saladier et servez aussitôt pour que les croûtons soient encore tièdes.

49. Salade de fenouil

Pour 6 personnes

500 g (1 lb) de fenouil
200 g (7 oz) de grosses crevettes roses épluchées
2 oranges sanguines, de préférence
1 tomate bien mûre
2 c. à soupe (2 c. à table) de mayonnaise
1 c. à soupe (1 c. à table) de crème fraîche (crème à 35 p. 100)
1 c. à soupe (1 c. à table) de cognac
2 c. à soupe (2 c. à table) de yogourt
Le jus d'un demi-citron
1 c. à café (1 c. à thé) de zeste d'orange râpé
1/2 c. à café (1/2 c. à thé) d'aneth en graines
Sel et poivre
1 pincée de poivre de Cayenne
Quelques feuilles de laitue pour le décor

- Si les bulbes de fenouil sont gros, ne gardez que les coeurs bien tendres de façon à avoir 500 g (1 lb) de légume cru.
- Coupez le fenouil en rondelles très fines et arrosez-le de jus de citron.
- Râpez le zeste d'une orange et épluchez les oranges à vif, puis enlevez les membranes blanches entre les tranches.
- Mélangez mayonnaise, crème fraîche, yogourt, cognac, zeste d'orange, sel, poivre, poivre de Cayenne et graines d'aneth.
- Broyez la tomate au mixer. Ajoutez-la à la sauce et mélangez vigoureusement. Goûtez. Au besoin, ajoutez du jus de citron ou d'orange.
- Tapissez un plat de feuilles de laitue.
- Mélangez la sauce et le fenouil en rondelles. Ajoutez les crevettes.
- Disposez cette salade sur les feuilles de laitue. Décorez avec les tranches d'oranges.
- Servez très frais.

50. Fenouil sauce au bleu

Pour 6 personnes

2 ou 3 coeurs de bulbes de fenouil (selon leur grosseur)
4 grosses pommes rouges starkimson
50 g (2 oz) de noisettes
4 c. à soupe (4 c. à table) de jus d'orange

Sauce:

150 g (5 oz) de crème fraîche assez liquide (crème à 12 ou à 15 p. 100)
1 c. à soupe (1 c. à table) de jus d'orange
2 c. à soupe (2 c. à table) de roquefort (ou de bleu d'Auvergne ou de bleu des Causses)
Poivre

- Coupez les coeurs de fenouil en rondelles très fines. Coupez les pommes en quartiers (sans les éplucher). Enlevez les pépins et coupez-les en lamelles. Arrosez-les immédiatement de jus d'orange pour éviter qu'elles ne noircissent.
- Hachez très grossièrement les noisettes.
- Faites la sauce en mélangeant vigoureusement tous les éléments. Au préalable, écrasez le roquefort à la fourchette.
- Mettez la sauce au fond du saladier. Versez dessus les coeurs de fenouil, les pommes et les noisettes. Remuez bien.
- Si le fenouil avait de belles tiges fraîches, émiettez-les par-dessus en décor.
- Servez immédiatement.

- **Note:** Si vous voulez une salade un peu plus "régime" remplacez la crème par un yogourt nature.

51. Laitue à l'orange en salade

Pour 6 personnes

1 belle laitue
1 branche de céleri très blanc
1 orange
4 c. à soupe (4 c. à table) de noisettes hachées grossièrement

Sauce:

200 g (7 oz) de crème fraîche assez liquide (crème à 12 ou à 15 p. 100)
1 c. à café (1 c. à thé) de moutarde à l'estragon
Le jus d'un citron
1 c. à café (1 c. à thé) de paprika doux
Sel et poivre

• Faites votre sauce en battant vigoureusement tous les éléments pour obtenir un bon amalgame.
• Disposez dans un saladier les feuilles de laitue parsemées de petits tronçons de céleri et des noisettes hachées grossièrement.
• Nappez le mélange avec la sauce et réservez au frais.
• Pelez l'orange à vif. Coupez-la en fines rondelles avec lesquelles vous décorerez votre salade. Servez aussitôt.

52. Salade de mâche au roquefort

Pour 6 personnes

300 g (10 oz) de salade de mâche
70 g (env. 2 oz) de roquefort
50 g (1/4 tasse) de beurre
12 petites rondelles de pain grillé
12 cerneaux de noix coupés en petits morceaux

Sauce:

3 c. à soupe (3 c. à table) d'huile d'arachide
2 c. à soupe (2 c. à table) d'huile de noix
1 1/2 c. à soupe (1 1/2 c. à table) de vinaigre de vin
Sel et poivre

- Épluchez soigneusement la salade de mâche. Lavez-la dans plusieurs eaux et essorez-la bien.
- Mélangez à la fourchette 40 g (1 1/2 oz) de roquefort avec le beurre.
- Faites griller les petites rondelles de pain. Tartinez-les de la pâte roquefort-beurre.
- Avec le reste du roquefort dans le fond du saladier, faites la sauce en commençant par diluer le roquefort avec le vinaigre. Ajoutez ensuite peu à peu les deux huiles. Poivrez. Goûtez avant de saler, il arrive que le roquefort suffise à saler la sauce.
- Mettez dans le saladier la mâche et les cerneaux de noix. Remuez.
- Décorez avec les petites tartines de pain grillé au roquefort.

53. Navets aux noisettes en salade

Pour 6 personnes

750 g (1 lb 10 oz) de jeunes navets bien fermes
Une vingtaine de noisettes mondées
4 branches de menthe fraîche
Le jus d'un citron
1 c. à café (1 c. à thé) de sucre en poudre
5 c. à soupe (5 c. à table) d'huile d'olive
1 pincée de poivre de Cayenne
1 pincée de sel
1 petit poivron vert pour décorer (facultatif)

• Épluchez les navets et coupez-les en très fines lamelles. Arrosez-les du jus de citron et saupoudrez de sucre en poudre. Remuez bien et laissez-les macérer pendant au moins 1 heure, au frais, en remuant de temps en temps.
• Ajoutez alors les noisettes, l'huile, le sel, le poivre de Cayenne et, si vous le voulez, de fines lanières de poivron vert.
• Mélangez bien et remettez au frais jusqu'au moment de servir. Saupoudrez alors de feuilles de menthe fraîche hachées.

54. Pissenlits aux oeufs pochés

Pour 6 personnes

6 oeufs très frais
2 c. à soupe (2 c. à table) de vinaigre
300 g (10 oz) de pissenlits
125 g (1/4 lb) de lard maigre fumé coupé en petits lardons
Poivre
3 c. à soupe (3 c. à table) d'huile d'olive
1 c. à soupe (1 c. à table) d'huile de tournesol

- Faites frémir de l'eau salée additionnée du vinaigre dans une grande casserole.
- Cassez les oeufs l'un après l'autre dans une tasse. Quand l'eau frémit, versez l'oeuf dans le liquide, avec précaution. Le blanc de l'oeuf va immédiatement se coaguler. À l'aide d'une cuillère, ramenez le blanc autour du jaune. Laissez cuire 3 à 4 minutes. Le blanc doit être bien pris et le jaune doit rester liquide. Si vous n'êtes pas très habile, faites cuire les oeufs l'un après l'autre. Plus sûre de vous, faites cuire 3 oeufs à la fois, mais pas plus.
- Sortez les oeufs de l'eau avec précaution, à l'aide d'une écumoire. Déposez-les sur un papier absorbant et ébarbez-les.
- Mettez-les ensuite au chaud entre deux assiettes au-dessus d'une casserole d'eau très chaude (mais non bouillante). Ils ne doivent pas continuer de cuire.
- Faites blanchir les petits lardons pendant 5 minutes dans l'eau bouillante. Égouttez-les. Faites-les blondir dans une poêle où vous aurez fait chauffer 1 c. à soupe (1 c. à table) d'huile de tournesol.
- Mettez l'huile d'olive dans un saladier. Ajoutez le poivre.
- Épluchez, lavez et essorez soigneusement les pissenlits. Tournez-les dans le mélange huile d'olive-poivre.
- Versez dessus les lardons brûlants et leur graisse de cuisson. Déglacez la poêle avec un filet de vinaigre que vous versez aussitôt sur les pissenlits.
- Mélangez bien et très vite. Posez les oeufs pochés sur la salade et servez aussitôt.

- **Note:** Vous pouvez rendre cette salade encore plus nourrissante en la présentant accompagnée de petits croûtons de pain grillé frottés d'ail.

55. Salade de poivrons

Pour 6 personnes

2 poivrons verts
2 poivrons jaunes
1 poivron rouge
3 belles tomates
2 gros oignons doux
100 g (3 oz) d'olives vertes dénoyautées

Sauce:

3 gousses d'ail
4 c. à soupe (4 c. à table) d'huile d'olive
1 1/2 c. à soupe (1 1/2 c. à table) de vinaigre de vin
Sel et poivre

- Lavez les poivrons, ouvrez-les en deux pour enlever les pépins et la membrane blanche.
- Coupez-les en lanières pour obtenir des demi-cercles.
- Coupez les tomates lavées en rondelles. Enlevez les pépins.
- Épluchez les oignons, coupez-les en rondelles très fines et défaites ces rondelles en anneaux.
- Disposez tous ces éléments dans un grand plat un peu creux en faisant alterner les couleurs des rondelles des poivrons, des tomates et des oignons. Éparpillez les olives par-dessus.
- Faites la sauce en pilant les gousses d'ail au mortier avec une cuillerée d'huile d'olive. Quand vous aurez obtenu une pâte, ajoutez le vinaigre, le reste de l'huile, et le sel, en continuant de remuer rapidement.
- Versez cette sauce sur les rondelles de légumes et servez bien frais.

56. Salade rouge aux pommes vertes

Pour 6 personnes

250 g (8 oz) de chou rouge
2 têtes de salade de Trévise
1 oignon rouge (moyen)
1 botte de radis roses
3 ou 4 pommes granny smith (suivant leur grosseur)
6 c. à soupe (6 c. à table) de vinaigrette à la moutarde (recette n° 22) et aux herbes du jardin

• Coupez le chou rouge en lanières très, très fines.
• Coupez l'oignon doux également en très fines rondelles.
• Mettez la moitié de la vinaigrette dans un saladier. Ajoutez le chou rouge et l'oignon et remuez bien. Laissez macérer pendant 1 heure au moins en remuant de temps en temps.
• Pendant ce temps, épluchez et lavez les radis. Coupez-les en rondelles.
• Épluchez, lavez et séchez la salade de Trévise. Coupez-en les feuilles en larges lanières.
• Lavez les pommes. Épépinez-les et coupez-les en tranches fines sans enlever la peau.
• Mélangez rapidement les tranches de pommes au chou rouge. Ajoutez la trévise et les radis. Versez le reste de la sauce dans le saladier. Mélangez bien le tout et servez sans attendre.

57. Salade de romaine à l'orange

Pour 6 personnes

1 belle romaine
2 oranges

Sauce:

3 c. à soupe (3 c. à table) de crème fraîche liquide (crème à 12 ou à 15 p. 100)
1 c. à café (1 c. à thé) de moutarde à l'orange
2 c. à soupe (2 c. à table) de jus de citron
1 pincée de poudre de cari
Sel et poivre

- Nettoyez la salade. Lavez-la dans plusieurs eaux et essorez-la soigneusement.
- Pelez les oranges à vif et enlevez les membranes des quartiers.
- Faites la sauce dans le fond du saladier et remuez vivement.
- Posez les feuilles de romaine sur la sauce, puis les quartiers d'orange en décor sur la salade.
- Réservez au frais. Ne remuez la salade qu'au moment de la servir.

58. Tomates aux fines herbes

Pour 6 personnes

Très simple, cette recette est cependant délicieuse.

6 ou 8 belles tomates (selon leur grosseur)
4 c. à soupe (4 c. à table) de persil frais haché ou 1 c. à soupe
   (1 c. à table) de persil séché
2 c. à soupe (2 c. à table) de basilic frais haché ou 1/2 c. à soupe
   (1/2 c. à table) de basilic séché
2 c. à soupe (2 c. à table) d'estragon frais haché ou 1/2 c. à soupe
   (1/2 c. à table) d'estragon séché
3 c. à soupe (3 c. à table) d'oignons doux hachés
1 gousse d'ail écrasée
6 c. à soupe (6 c. à table) d'huile d'olive
2 c. à soupe (2 c. à table) de vinaigre de vin
Sel et poivre
1 pincée de cumin en poudre

- Coupez les tomates en rondelles, avec leur peau.
- Dans un bol, mélangez les fines herbes, l'oignon et l'ail écrasé. Mouillez avec l'huile que vous versez en filet sans cesser de remuer, puis le vinaigre. Salez, poivrez et ajoutez la pincée de cumin.
- Dans le plat de service, disposez une couche de tomates en rondelles que vous faites se chevaucher. Nappez d'une partie de la sauce aux herbes qui est assez épaisse, puis remettez une couche de tomates, puis la sauce et ainsi de suite jusqu'à épuisement des éléments.
- Réservez au frais jusqu'au moment de servir.

59. Tomates au fromage en salade

Pour 6 personnes

6 à 8 belles tomates (suivant leur grosseur)
300 g (10 oz) de mozzarella (fromage italien)
100 g (3 oz) de petites olives noires
1/2 tasse à thé (1/2 tasse) de vinaigrette (recette n° 21)
1 pincée d'origan (ou de marjolaine)
Tranches de pain grillées frottées d'ail

• Commencez par faire la vinaigrette et parfumez-la avec l'origan. Battez vigoureusement à la fourchette pour obtenir un bon amalgame.
• Coupez les tomates en rondelles. Disposez-les en couronne près du bord extérieur du plat de service.
• Coupez aussi la mozzarella en tranches fines et disposez-les au centre du plat, en les faisant se chevaucher.
• Parsemez d'olives noires et nappez avec la sauce.
• Servez immédiatement, accompagné de tranches de pain grillées et frottées d'ail.

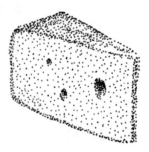

60. Tomates et radis en chemise rose

Pour 6 personnes

6 tomates
1 botte de radis
4 oeufs durs
Quelques feuilles de cresson ou de pourpier (pour le décor)

Sauce rose:

3 c. à soupe (3 c. à table) de crème fraîche (crème à 35 p. 100)
2 c. à soupe (2 c. à table) de cognac
2 c. à soupe (2 c. à table) de *hot ketchup* (ketchup très pimenté, genre sauce chili)
1 c. à café (1 c. à thé) de jus de citron
6 anchois (facultatif)

• Faites durcir les oeufs en les plongeant pendant 10 minutes dans l'eau bouillante. Sortez-les, passez-les sous l'eau froide, écalez-les et découpez-les en rondelles.
• Épluchez les radis, lavez-les et découpez-les en rondelles.
• Pelez les tomates en les plongeant quelques secondes dans l'eau bouillante et coupez-les par le milieu.
• (Si vous avez choisi de garnir votre plat avec des anchois, faites-les dessaler sous un filet d'eau pendant 30 minutes. Enlevez l'arête dorsale.)
• Dans un grand plat rond assez creux, faites une couronne avec les rondelles d'oeufs durs. Répartissez les rondelles de radis à l'extérieur de cette couronne.
• Disposez les moitiés de tomates (dôme en dessus) au centre du plat (éventuellement, croisez les anchois sur le dos des tomates).
• Décorez de feuilles de cresson ou de pourpier entre les tomates.
• Faites la sauce en mélangeant rapidement et vigoureusement les éléments ci-dessus énumérés.
• Nappez votre plat de cette sauce rose et servez très frais.

61. Tomates et poivrons au fromage de campagne

Cette recette m'a été inspirée par Colette, l'écrivain, qui raconte qu'elle aimait manger, pour son goûter de petite fille, des tartines de pain sur lesquelles sa tendre Sido mettait une couche de fromage blanc de campagne assaisonné de ciboulette et de poivre ou d'ail, de persil et de poivre quand il n'y a plus de ciboulette.

Pour 6 personnes

6 belles tomates bien fermes
1 poivron vert
1 oignon doux
2 c. à soupe (2 c. à table) de crème fraîche (crème à 35 p. 100)
1 c. à soupe (1 c. à table) de concentré de tomates
1 c. à café (1 c. à thé) de sucre en poudre
1 c. à café (1 c. à thé) de moutarde
Sel et poivre
1 pincée de poivre de Cayenne
300 g (10 oz) de fromage de campagne (caillé, et non à pâte lisse)
2 c. à soupe (2 c. à table) de ciboulette fraîche hachée (ou 2 c. à café (2 c. à thé) de ciboulette séchée (ou d'ail et de persil hachés)

• Coupez les tomates en rondelles et laissez-les un peu égoutter pour qu'elles perdent leur eau de végétation.
• Coupez le poivron en rondelles en ayant soin d'en enlever les pépins et les membranes blanches.
• Coupez l'oignon en rondelles et défaites les anneaux.
• Dans un bol, battez vigoureusement ensemble la crème fraîche, la moutarde, le concentré de tomates, le sucre en poudre, le sel, le poivre et le poivre de Cayenne.
• Hachez le fromage blanc à la fourchette dans un bol à part et mélangez-y la ciboulette hachée (ou l'ail et le persil hachés), salez et poivrez bien.
• Dans un plat rond assez creux, disposez les tranches de tomates, les rondelles de poivron et les anneaux d'oignons pour obtenir un ensemble agréable à l'oeil. Versez dessus des rubans de sauce. Mettez le fromage blanc en dôme au centre et servez très frais avec des tranches de pain de campagne.

• **Note:** Accompagnée de viande froide, cette salade suffit pour un jour de canicule.

62. Tomates en salade au fromage de brebis

Pour 6 personnes

8 ou 9 belles tomates bien fermes
200 g (7 oz) de fromage de brebis
2 branches de basilic frais ou 1 c. à soupe (1 c. à table) de basilic séché
2 gousses d'ail
2 c. à soupe (2 c. à table) de jus de citron
6 c. à soupe (6 c. à table) d'huile d'olive
20 olives noires
Sel et poivre

• Coupez le fromage en tranches fines et disposez-les dans un récipient assez creux.
• Si vous utilisez du basilic frais, lavez-en les feuilles et coupez-les en très menus morceaux à l'aide des ciseaux. Hachez l'ail très menu (ou mieux, écrasez les gousses).
• Parsemez les tranches de fromage du mélange basilic-ail. Arrosez d'huile d'olive et du jus de citron et laissez macérer à couvert, plusieurs heures, au frais.
• Plongez les tomates quelques secondes dans l'eau bouillante pour pouvoir les peler facilement. Coupez-les en tranches épaisses de 1/2 cm (1/4 po) et posez-les dans une passoire. Salez-les un peu et laissez-les égoutter.
• Au moment de servir, disposez les tomates en couronne sur un plat, disposez les tranches de fromage au centre, décorez avec les olives, poivrez bien le tout et arrosez avec la sauce huile d'olive-citron qui est restée dans le plat où ont macéré les tranches de fromage.

63. Salade d'Angosar

Pour 6 personnes

1 belle laitue
300 g (10 oz) de crevettes "bouquet" (une fois décortiquées)
500 g (1 lb) de champignons de Paris bien blancs
1 c. à soupe (1 c. à table) de ciboulette fraîche hachée ou 1 c. à café
   (1 c. à thé) de ciboulette séchée
Le jus d'un citron
5 c. à soupe (5 c. à table) d'huile d'olive
Sel et poivre

- Lavez la laitue et laissez-la bien égoutter.
- Coupez les champignons (bien essuyés) en fines lamelles et arrosez-les immédiatement de jus de citron pour qu'ils restent bien blancs.
- Hachez la ciboulette fraîche.
- Faites une sauce avec l'huile, le reste du jus de citron (1 1/2 c. à soupe (1 1/2 c. à table) environ), le sel et le poivre.
- Assaisonnez la laitue avec une partie de cette sauce et saupoudrez de ciboulette.
- Assaisonnez les crevettes avec le reste de la sauce.
- Dans un plat allongé, disposez la salade de laitue en longueur au milieu du plat.
- D'un côté, mettez les crevettes, de l'autre, les champignons. Servez aussitôt.

64. Salade César

Voici une des versions de cette salade inventée par un célèbre restaurateur italien, installé au Mexique, et reprise dans tous les livres de cuisine avec des variantes, fruits de l'imagination des auteurs.

Pour 6 personnes

1 belle laitue romaine
4 oeufs très frais
6 filets d'anchois au sel
3 gousses d'ail
2 tranches de pain de mie
50 g (1/4 tasse) de beurre
2 c. à soupe (2 c. à table) de roquefort
2 c. à soupe (2 c. à table) de parmesan
6 c. à soupe (6 c. à table) d'huile d'olive
4 c. à soupe (4 c. à table) de vinaigre de vin
1 c. à café (1 c. à thé) d'un mélange de fines herbes fraîches (ciboulette, estragon, cerfeuil et persil) ou 1 bonne pincée d'un mélange de ces herbes séchées
Sel et poivre

• Faites dessaler les filets d'anchois pendant au moins 30 minutes sous un filet d'eau froide. Puis égouttez-les, séchez-les sur un papier absorbant et enlevez l'arête dorsale.

• Écrasez deux de ces filets d'anchois avec le roquefort à la fourchette dans un saladier. Ajoutez une gousse d'ail pressée, le sel, le poivre, l'huile, le vinaigre et les fines herbes. Mélangez bien.

• Nettoyez la salade, lavez-la soigneusement à grande eau et laissez-la sécher, après l'avoir essorée. Coupez en fragments les feuilles les plus grandes.

• Faites fondre le beurre dans une poêle et faites dorer les tranches de pain de mie. Quand elles sont encore chaudes, frottez-les avec les gousses d'ail qui restent et coupez-les en petits dés. Réservez-les au chaud entre deux assiettes (à l'entrée du four ou sur une casserole d'eau bouillante).

• Faites cuire les oeufs 4 minutes dans l'eau bouillante. Sortez-les, passez-les sous l'eau froide et écalez-les. Cette opération demande de la minutie car, si les blancs des oeufs sont pris, les jaunes sont encore liquides.

• Mettez la salade dans le saladier. Ajoutez les petits croûtons à l'ail. Mélangez. Coupez les oeufs au-dessus du saladier. Coupez les blancs en petits morceaux.

• Coupez les filets d'anchois qui restent en petits morceaux et mélangez-les au parmesan râpé. Parsemez-en la salade et remuez. Les jaunes d'oeufs encore tièdes vont s'ouvrir et se mélanger à la sauce. Servez aussitôt.

65. Salade du guide savoyard

Pour 6 personnes

1 scarole bien croquante
3 tranches de pain de campagne
200 g (7 oz) de tome de Savoie coupée en petits dés
150 g (5 oz) de lard maigre coupé en petits lardons
3 oeufs durs
1 vinaigrette à la moutarde forte (recette n° 22)

- Épluchez, lavez et essorez la scarole.
- Coupez le pain en petits dés.
- Dans une poêle, faites fondre doucement les petits lardons. Quand ils sont bien grillottés, retirez-les et, dans la graisse qu'ils ont laissée dans la poêle, faites dorer les dés de pain.
- Faites durcir les oeufs dans de l'eau bouillante pendant 10 minutes. Passez-les sous l'eau froide, écalez-les et coupez-les en 4.
- Versez la vinaigrette au fond du saladier, répartissez les feuilles de salade, les lardons, les croûtons grillés et les dés de tome.
- Remuez bien et posez les quartiers d'oeufs durs par-dessus en décor.

66. Salade hawaïenne

Pour 6 personnes

1 petite laitue
3 endives
300 g (10 oz) de fromage blanc à pâte lisse
6 tranches d'ananas frais, coupées en deux
2 grosses oranges pelées à vif coupées en tranches fines
2 kiwis coupés en tranches
1 petit concombre auquel vous aurez laissé des lanières de peau et que vous
    aurez coupé en tranches

Sauce:

4 c. à soupe (4 c. à table) d'huile d'olive
1 c. à soupe (1 c. à table) de jus de citron
1/2 c. à café (1/2 c. à thé) de moutarde au poivre vert
Sel et poivre
1 pincée de gingembre en poudre

- Recouvrez le fond d'un plat ovale un peu creux de feuilles de laitue. Placez les feuilles d'endive à chaque extrémité du plat.
- Moulez le fromage blanc dans un bol et renversez-le au centre du plat.
- Entourez-le d'une couronne de concombre en tranches, puis d'une rangée d'oranges, puis d'une rangée d'ananas.
- Plantez les rondelles de kiwis dans le fromage, pour le décor.
- Servez la sauce à part.

67. Salade niçoise

C'est une des salades les plus célèbres, mais elle mérite sa renommée. Il en existe plusieurs versions, comme il se doit quand il s'agit d'un plat exceptionnel. Je vous livre ici la vraie recette, fidèle à la tradition.

Pour 6 personnes

10 tomates
1 concombre
2 poivrons verts
10 petits artichauts très tendres
200 g (7 oz) de petites fèves fraîches
3 ou 4 oignons doux
3 oeufs durs
12 anchois à l'huile
1 gousse d'ail
6 c. à soupe (6 c. à table) d'huile d'olive très fruitée
Sel et poivre du moulin
1/2 c. à soupe (1/2 c. à table) de feuilles de basilic frais haché ou 1/2 c. à café
    (1/2 c. à thé) de basilic séché
Une vingtaine de petites olives noires de Nice

• Faites cuire les oeufs durs en les plongeant 10 minutes dans l'eau bouillante. Sortez-les, passez-les sous l'eau froide et écalez-les. Coupez-les en quartiers.
• Lavez les tomates et les poivrons. Coupez les tomates en quartiers et salez-les légèrement. Laissez-les égoutter.
• Coupez le concombre en tranches fines après l'avoir épluché. Coupez les poivrons en rondelles les plus fines possible. Enlevez les pépins et la membrane blanche.
• Coupez les oignons en rondelles très fines et détachez les anneaux.
• Ayant acheté de petites fèves toutes jeunes et très tendres, il vous suffit de les écosser et d'enlever leur peau dure et le petit pédoncule. Vous pouvez les manger crues.
• De même pour les petits artichauts. Précisez que vous voulez des artichauts à manger crus. Coupez les feuilles à la base avec un couteau pointu et enlevez le foin pour obtenir les fonds d'artichaut crus. Coupez-les en lamelles fines.

- Frottez les parois d'un saladier en bois ou en grès avec la gousse d'ail. Versez tous les légumes dans le saladier, à l'exception des tomates. Égouttez-les et resalez-les légèrement.
- Coupez les anchois en dés après les avoir égouttés de leur huile. Mélangez-les aux légumes. Ajoutez les tomates. Mélangez encore.
- Faites la sauce avec l'huile, le sel, le poivre et le basilic haché (pas de vinaigre ni de jus de citron). Versez la sauce dans le saladier. Mélangez bien sans casser les légumes.
- Décorez avec les petites olives noires et les quartiers d'oeufs durs.

68. Salade du Pain de Sucre

Pour 6 personnes

Quelques feuilles de scarole bien blanches et croquantes
400 g (14 oz) de coeurs de palmier en conserve
1 avocat bien mûr
1/2 c. à café (1/2 c. à thé) de graines de sésame, grillées
1/2 tasse à thé (1/2 tasse) de vinaigrette au citron (recette n° 21)

- Répartissez les feuilles de salade dans 6 coupelles. Disposez les coeurs de palmier coupés en tronçons par-dessus, puis des lamelles d'avocat (pelé).
- Recouvrez rapidement de cuillerées de sauce pour que l'avocat ne noircisse pas.
- Parsemez de graines de sésame. Servez frais.

69. Salade paysanne

Pour 6 personnes

1 belle laitue
1 botte de radis
150 g (5 oz) de lard maigre
3 oeufs durs
3 tranches de pain de mie
150 g (5 oz) de gruyère coupé en dés
6 c. à soupe (6 c. à table) de vinaigrette (recette n° 21)

• Durcissez les oeufs en les plongeant 10 minutes dans l'eau bouillante salée. Sortez-les et passez-les sous l'eau froide. Écalez-les et coupez-les en 4.

• Coupez le lard en petits dés que vous faites blanchir pendant 5 minutes dans l'eau bouillante. Égouttez-les et mettez-les à feu doux dans une poêle pour qu'ils grillent doucement et achèvent de se débarrasser de leur graisse.

• Hors du feu, sortez-les de la poêle avec une écumoire. Dans leur graisse, mettez les tranches de pain de mie coupées en dés et faites-les dorer (au besoin, ajoutez un peu d'huile de tournesol en cours de cuisson, ou de beurre).

• Lavez et épluchez les radis. Réservez-en une dizaine. Coupez les autres en rondelles.

• Incisez les radis réservés de façon à former des fleurs. Laissez-les raidir dans un bol rempli d'eau glacée.

• Mettez la vinaigrette au fond d'un saladier. Croisez les couverts à salade avant de répartir les feuilles de laitue au fond et autour du saladier (pour que les feuilles ne soient pas en contact à l'avance avec la vinaigrette qui les "cuit").

• À part, mélangez les croûtons, les lardons, les dés de gruyère et les rondelles de radis. Versez ce mélange au centre du saladier.

• Répartissez les quartiers d'oeufs durs entre les feuilles de salade et le mélange de croûtons-lardons.

• Ornez avec les fleurs en radis.

• Ne remuez la salade qu'au moment de la servir, quand elle est déjà sur la table, pour que la laitue reste bien croquante.

70. Salade tricolore

Pour 6 personnes

250 g (8 oz) de mâche
100 g (3 oz) de chicorée de Trévise
1 grosse endive
1/2 bulbe de fenouil très tendre et frais
50 g (2 oz) de noisettes
6 c. à soupe (6 c. à table) de vinaigrette au citron (recette n° 21)

• Épluchez et lavez soigneusement la mâche et la trévise. Coupez la salade de Trévise en lamelles et détachez les feuilles de mâche.
• Enlevez les premières feuilles de l'endive et coupez-la en rondelles assez fines.
• Lavez le fenouil et coupez-le en tranches très très fines.
• Mettez la vinaigrette au fond d'un saladier. Mélangez-la avec toutes les salades. Parsemez-les de noisettes et laissez les salades s'imprégner de la sauce pendant 15 minutes avant de servir.

71. Mesclun aux lardons

Pour 6 personnes

300 g (10 oz) de mesclun (pourpier, raiponce, roquette, boursette, pimprenelle
    ou une partie de ces herbes seulement)
3 ou 4 oeufs durs coupés en rondelles
150 g (5 oz) de lard maigre fumé coupé en petits lardons
4 tranches de pain grillé
2 gousses d'ail
6 c. à soupe (6 c. à table) de vinaigrette à l'huile d'olive (recette n° 21)
1 c. à soupe (1 c. à table) d'huile de tournesol

- Épluchez, lavez et égouttez soigneusement le mesclun.
- Faites durcir les oeufs pendant 10 minutes dans l'eau bouillante. Sortez-les, passez-les sous l'eau froide et écalez-les. Coupez-les en rondelles.
- Faites griller les tranches de pain et frottez-les d'ail puis détaillez-les en petits dés.
- Plongez les petits lardons pendant 5 minutes dans l'eau bouillante. Égouttez-les. Mettez-les dans une poêle où vous aurez fait chauffer l'huile de tournesol. Faites blondir les petits lardons. Quand ils sont bien dorés, faites réchauffer les croûtons aillés dans la poêle et mélangez bien.
- Disposez le mesclun préalablement assaisonné avec la moitié de la sauce.
- Posez les rondelles d'oeufs durs en couronne en laissant une bordure de salade.
- Versez le mélange de croûtons et de lard au centre. Nappez avec le reste de la sauce et servez immédiatement.

72. Mesclun aux oeufs durs sauce piquante

Pour 6 personnes

250 à 300 g (8 à 12 oz) de mesclun (pourpier, pimprenelle, raiponce, roquette, etc.)
6 oeufs
3 c. à soupe (3 c. à table) d'huile d'olive
1 c. à soupe (1 c. à table) de jus de citron
Sel et poivre

Sauce piquante:

1 tasse à thé (1 tasse) de mayonnaise au citron (recette n° 23)
3 anchois dessalés
1 c. à soupe (1 c. à table) de cornichons hachés
1 c. à soupe (1 c. à table) de câpres
1 c. à soupe (1 c. à table) de persil frais haché ou 1 c. à café (1 c. à thé) de persil séché
Sel, poivre et 1 pointe de Cayenne

• Épluchez, lavez le mesclun et laissez-le sécher complètement. Assaisonnez-le avec l'huile, le jus de citron, le sel et le poivre.
• Faites durcir les oeufs 10 minutes dans l'eau bouillante salée. Sortez-les, passez-les sous l'eau froide et écalez-les.
• Faites la sauce piquante en mélangeant vigoureusement tous les éléments énumérés ci-dessus.
• Disposez le mesclun dans un plat assez creux ou un saladier à base large.
• Coupez les oeufs au coupe-oeufs et reconstituez-les en intercalant un peu de sauce piquante entre chaque tranche d'oeufs.
• Servez bien frais.

73. Mesclun aux tomates

Pour 6 personnes

500 g (1 lb) de petites tomates cerises
300 g (10 oz) de mesclun composé de pourpier, roquette, raiponce, pimprenelle, scorsonère sauvage, boursette (ou d'une petite partie de ces herbes sauvages seulement, suivant les possibilités du moment)

Sauce:

1 c. à café (1 c. à thé) de moutarde aromatique
4 c. à soupe (4 c. à table) d'huile d'olive bien fruitée
1 1/2 c. à soupe (1 1/2 c. à table) de vinaigre de vin
1 gousse d'ail écrasée

- Lavez et épluchez la salade composée. Séchez-la soigneusement.
- Disposez-la dans le plat de service.
- Installez les petites tomates dessus comme s'il s'agissait d'oeuf dans leur nid (sans les couper).
- Faites la sauce en fouettant vigoureusement tous les éléments réunis dans un grand bol.
- Nappez-en les tomates. Servez aussitôt.

74. Mesclun à l'antillaise

Pour 6 personnes

300 g (10 oz) de mesclun (pourpier, raiponce, boursette, scorsonère sauvage, roquette, pimprenelle ou une partie de ces herbes seulement, au hasard de l'approvisionnement)
3 oranges
1 1/2 citron
3 c. à soupe (3 c. à table) de ciboulette hachée
50 ml (1/4 tasse) de yogourt
2 c. à soupe (2 c. à table) de crème fraîche (crème à 35 p. 100)
1 c. à soupe (1 c. à table) de rhum agricole
Sel et poivre

- Épluchez et lavez soigneusement les salades. Faites-les bien égoutter. Comme il s'agit de petites feuilles, il n'est pas utile de les fragmenter.
- Avec un couteau à zester, prélevez les zestes des oranges et du citron entier. Découpez ces zestes en très fines lamelles et faites-les blanchir pendant 5 minutes dans un peu d'eau bouillante. Retirez-les, égouttez-les et laissez-les refroidir.
- Pelez à vif les oranges et les citrons. Enlevez la membrane blanche qui sépare les tranches de ces fruits. Recueillez le jus dans un bol.
- Mélangez-le avec le yogourt, la crème, le rhum, le sel et le poivre. Ajoutez 1 c. à soupe (1 c. à table) de ciboulette et remuez vigoureusement.
- Placez les salades vertes dans un récipient un peu creux. Disposez les tranches de fruits par-dessus. Saupoudrez du reste de la ciboulette.
- Servez la sauce à part.

75. Salade amère au fromage chaud

Pour 6 personnes

400 g (14 oz) d'un mélange de chicorée de Trévise, chicorée frisée, chicon, endive, barbe-de-capucin
6 fromages de chèvre (crottin de Chavignol)
150 g (5 oz) de lard maigre coupé en petits dés
6 c. à soupe (6 c. à table) d'huile d'arachide ou de tournesol
2 c. à soupe (2 c. à table) de vinaigre de vin
Sel et poivre

- Épluchez et lavez les salades. Fragmentez les feuilles trop grandes. Laissez bien égoutter.
- Mettez l'huile, le sel et le poivre dans le fond d'un saladier.
- Tournez la salade dans cette sauce pour qu'elle s'en imprègne bien.
- Mettez un fromage par assiette (pouvant aller au four) et passez les fromages sous le gril jusqu'à ce qu'ils commencent à fondre.
- Pendant ce temps, faites grillotter dans une poêle les dés de lard maigre jusqu'à ce qu'ils soient bien dorés.
- Versez-les dans le saladier et mélangez les lardons à la salade.
- Sortez les assiettes du four. Répartissez les salades autour des fromages fondants.
- Déglacez la poêle avec le vinaigre et répartissez le vinaigre chaud sur les assiettes.
- Servez aussitôt. Il faut que l'ensemble soit tiède et que les fromages soient encore plutôt chauds.
- Servez cette salade en fin de repas et ne présentez pas de fromage ensuite.

76. Salade de chicorée aux oeufs durs

Pour 6 personnes

1 petite chicorée frisée
150 g (5 oz) de chicorée de Trévise
50 g (2 oz) de chicorée verte amère
6 oeufs durs
12 filets d'anchois
2 c. à soupe (2 c. à table) de câpres
1 gousse d'ail écrasée
2 c. à soupe (2 c. à table) de persil frais haché ou 2 c. à café (2 c. à thé) de
    persil séché
Quelques feuilles de basilic pour le décor
6 c. à soupe (6 c. à table) de mayonnaise (recette n° 23)

• Lavez soigneusement les salades et égouttez-les bien.
• Mélangez-les à sec et répartissez-les sur les assiettes qui figureront à la place des convives.
• Faites durcir les oeufs pendant 10 minutes dans l'eau bouillante salée. Sortez-les, passez-les sous l'eau froide et écalez-les. Coupez-les en deux dans le sens de la longueur. Posez les deux moitiés sur les feuilles de salade, le jaune touchant la salade.
• Faites dessaler les anchois sous un filet d'eau pendant 30 minutes. Essuyez-les dans un papier absorbant. Enlevez l'arête dorsale. Mettez la mayonnaise dans une jatte, ajoutez 1 c. à soupe (1 c. à table) de câpres, 6 filets d'anchois hachés très menu, l'ail écrasé et le persil haché. Mélangez bien. Goûtez, poivrez et — si besoin est — ajoutez un peu de jus de citron. Il faut que la mayonnaise soit bien acidulée.
• Répartissez la sauce sur les oeufs. Croisez un filet d'anchois séparé en deux sur les oeufs. Décorez avec le reste de câpres et servez glacé.

77. Salade d'hiver aux oeufs pochés

Pour 6 personnes

300 g (10 oz) de salade d'hiver: chicorée frisée, cornette, trévise, barbe-de-capucin en mélange (ou une partie d'entre elles seulement)
6 oeufs
1 filet de maquereau ou de hareng fumé au poivre ou d'un autre poisson fumé du même type
2 tranches de pain
4 c. à soupe (4 c. à table) d'huile d'olive
3 1/2 c. à soupe (3 1/2 c. à table) de vinaigre de vin
3 c. à soupe (3 c. à table) d'huile sans goût pour frire les croûtons de pain
Sel et poivre

• Faites bouillir une casserole d'eau salée et ajoutez-y 2 c. à soupe (2 c. à table) de vinaigre.

• Cassez l'un après l'autre les oeufs dans une tasse et laissez-les tomber très doucement dans le liquide frémissant. Ramenez le blanc qui se coagule autour du jaune d'oeuf. Laissez cuire 3 à 4 minutes au maximum et retirez l'oeuf à l'aide d'une écumoire. Laissez égoutter sur du papier absorbant et ébarbez.

• Gardez au tiède entre deux assiettes posées sur une casserole d'eau très chaude.

• Épluchez et lavez vos salades. Fragmentez les feuilles trop grandes. Laissez bien égoutter puis assaisonnez avec l'huile d'olive, le vinaigre qui reste, le sel et le poivre.

• Ajoutez le filet de poisson coupé en fines lanières. Faites chauffer l'huile sans goût dans une poêle. Détaillez les tranches de pain en petits dés. Faites-les griller dans la poêle.

• Dans un saladier, disposez les salades, le poisson, les oeufs pochés, les croûtons chauds et servez aussitôt.

78. Salades d'hiver à la pâte de soja (tofu)

Vous trouvez la pâte de soja dans les épiceries exotiques. Elle porte aussi le nom de *tofu*. C'est une pâte fine et lisse qui se présente découpée en tranches.

Pour 6 personnes

1/2 tête de chicorée frisée
100 g (3 oz) de chicorée de Trévise
1 grosse endive (ou 2 plus petites)
200 g (7 oz) de pâte de soja (tofu)
2 c. à soupe (2 c. à table) de graines de sésame grillées
4 c. à soupe (4 c. à table) de vinaigrette bien relevée (recette n° 21)

- Épluchez et lavez la chicorée et la trévise. Coupez-les en morceaux.
- Essuyez l'endive. Au besoin, enlevez les premières feuilles. Coupez l'endive en rondelles.
- Mettez la vinaigrette au fond du saladier.
- Versez les salades dessus et remuez bien. Parsemez la pâte de soja coupée en petits dés. Remuez à nouveau.
- Saupoudrez avec les graines de sésame grillées et servez aussitôt.

79. Salade d'hiver au cari

Pour 6 personnes

1 tête de céleri-rave
5 c. à soupe (5 c. à table) de riz (soit 100 g (3 oz)
75 g (2 1/2 oz) de cerneaux de noix
2 belles pommes rouges
300 g (10 oz) de betterave rouge cuite
4 c. à soupe (4 c. à table) de crème fraîche (crème à 35 p. 100)
Le jus d'un citron
1 bouquet de cerfeuil frais haché ou 1 c. à café (1 c. à thé) de cerfeuil séché
1/2 c. à café (1/2 c. à thé) de cari
Sel

- Épluchez le céleri-rave. Passez-le dans les plus gros trous de la grille du râpe-légumes.
- Arrosez-le tout de suite avec le jus d'un demi-citron.
- Épluchez les betteraves. Coupez-les en dés.
- Faites cuire le riz 18 minutes dans l'eau bouillante salée. Passez-le sous l'eau froide. Égouttez-le.
- Coupez les pommes en quartiers et enlevez les pépins, puis coupez les tranches en petits dés.
- Concassez grossièrement les cerneaux de noix à l'exception d'une dizaine qui vous serviront pour le décor.
- Dans le fond d'un saladier, mélangez la crème fraîche, le jus du demi-citron qui reste et le cari. Salez.
- Versez le riz, le céleri, la betterave et les dés de pommes, ainsi que les cerneaux concassés. Remuez bien.
- Saupoudrez de cerfeuil et décorez avec les cerneaux qui restent.

80. Salade diététique (ou presque)

Pour 6 personnes

1 petit chou vert
250 g (8 oz) de carottes bien tendres
2 oranges
100 g (3 oz) de pousses de soja
12 radis roses
50 g (2 oz) de roquefort
1 c. à café (1 c. à thé) de crème fraîche (crème à 35 p. 100)
6 c. à soupe (6 c. à table) d'huile d'olive
Sel et poivre
Fleurs de capucine pour la décoration

• Lavez le chou, égouttez-le et découpez-le en très, très fines lamelles.
• Épluchez les carottes, coupez-les en fines rondelles et passez-les 5 minutes à l'eau bouillante salée. Égouttez-les.
• Lavez les pousses de soja. Égouttez-les.
• Pelez les oranges à vif et coupez-les en rondelles très minces.
• Dans un petit bol, écrasez le roquefort à la fourchette, ajoutez la crème fraîche, puis l'huile en filet sans cesser de battre vigoureusement. Salez et poivrez.
• Mélangez tous les légumes et les tranches d'oranges dans un saladier. Versez la sauce dessus et remuez bien.
• Décorez avec les radis découpés en forme de fleurs, ou bien ajoutez les radis coupés en rondelles à la salade et décorez avec des fleurs de capucine.

• **Note:** Si vous voulez absolument soigner votre ligne, supprimez le roquefort et la crème. Remplacez-les par du yogourt et ajoutez des épices: 1 pincée de cumin en poudre et 1 pointe de poivre de Cayenne, ou 1 pincée de paprika fort ou encore ajoutez des fines herbes hachées dans la proportion de 3 c. à soupe (3 c. à table): basilic, estragon et persil, par exemple.

81. Salade Waldorf

Beaucoup de mélanges portent ce nom. Cette salade aurait été servie pour la première fois à l'occasion de l'inauguration en 1893 de l'hôtel Waldorf, à New York, aux États-Unis.

En voici une des versions:

Pour 6 personnes

1 belle laitue bien pommée
2 belles pommes du Canada
3 bananes mûres
1 pamplemousse (rose de préférence)
Une vingtaine de cerneaux de noix
1 tasse à thé (1 tasse) de mayonnaise pas trop ferme
Le jus d'un citron

- Épluchez et lavez la laitue. Essorez-la et laissez-la bien égoutter.
- Pelez les pommes, épépinez-les et coupez-les en lamelles. Arrosez-les immédiatement du jus de citron pour qu'elles ne noircissent pas au contact de l'air.
- Pelez le pamplemousse à vif et enlevez la membrane blanche entre les tranches.
- Coupez les bananes en rondelles après les avoir épluchées.
- Dans chaque assiette, disposez un lit de feuilles de laitue, puis les lamelles de pommes, les tranches de bananes et de pamplemousse. Arrosez de la mayonnaise et décorez des cerneaux de noix.
- Laissez une heure au réfrigérateur avant de servir.

- **Note:** Une autre recette remplace le pamplemousse et la banane par des branches de céleri.

82. Salade du Mont-d'Or

Pour 6 personnes

1/2 melon d'Espagne
2 avocats
150 g (5 oz) de crevettes roses (une fois décortiquées)
2 pommes rouges
Le jus d'un citron
Des feuilles de laitue
6 c. à soupe (6 c. à table) de vinaigrette au vinaigre de cidre (recette n° 21)

- Prévoyez une assiette à dessert par convive.
- Dans chaque assiette, disposez agréablement:
    - les feuilles de salade verte, sur lesquelles vous répartirez:
    - le melon d'Espagne coupé en tranches fines;
    - les pommes coupées en lamelles avec leur peau et arrosées de citron pour leur éviter de noircir;
    - les avocats ouverts en deux et dans la pulpe desquels vous aurez taillé de petites boules avec l'appareil prévu à cet effet. Comme pour les lamelles de pommes, arrosez immédiatement de jus de citron;
    - les crevettes décortiquées.
- Recouvrez le mélange de chaque assiette de 1 c. à soupe (1 c. à table) de vinaigrette au vinaigre de cidre et servez très frais.

83. Pamplemousse rose en salade

Pour 6 personnes

5 pamplemousses roses
125 g (1/2 tasse) de crabe en conserve
200 g (7 oz) de champignons de Paris
1 laitue romaine
1 échalote
100 g (3 oz) d'olives noires

Sauce:

3 c. à soupe (3 c. à table) d'huile d'olive parfumée à l'estragon
1/2 c. à café (1/2 c. à thé) de moutarde aromatisée à l'estragon
Sel et poivre

• Épluchez et lavez soigneusement la laitue romaine. Laissez-la sécher complètement et coupez-en les feuilles en morceaux.
• Ouvrez la boîte de crabe. Mettez-la dans une passoire et rafraîchissez les morceaux de crabe à l'eau froide. Laissez égoutter.
• Pelez les pamplemousses à vif et enlevez la membrane blanche entre les tranches.
• Coupez le pied sableux des champignons. Essuyez-les et coupez-les en lamelles fines.
• Mélangez-les immédiatement aux pamplemousses. Hachez l'échalote. Joignez-la au mélange.
• Disposez les feuilles de romaine au fond et tout autour d'un grand plat rond et assez creux. Placez le mélange pamplemousse-crabe au centre et entourez des olives noires.
• Faites la sauce en mélangeant la moutarde, l'huile, le sel et le poivre dans un bol. Fouettez vigoureusement à la fourchette pour obtenir un bon amalgame.
• Versez la sauce sur le plat et servez bien frais.

84. Salade de bananes vertes (plantains)

Pour 6 personnes

4 ou 5 bananes vertes (plantains)
400 g (14 oz) de blancs de poulet ou de porc rôti ou d'un mélange des deux (ce qui est une aimable façon d'accommoder un reste)
4 branches de menthe fraîche
6 c. à soupe (6 c. à table) d'huile d'arachide
2 c. à soupe (2 c. à table) de jus de citron vert
1 c. à soupe (1 c. à table) de nuoc-mâm (que vous trouvez dans les épiceries chinoises ou exotiques)
À défaut de nuoc-mâm, utilisez: sel, poivre et 1 pincée de Cayenne

• Pour réussir cette salade, il vous faut impérativement des bananes vertes (plantains) que vous trouverez chez un marchand de produits exotiques. Leur saveur n'a absolument rien de commun avec celle de la banane mûre. Dans la cuisine antillaise, la banane verte fait office de pomme de terre, mais elle ne peut pas lui être comparée au goût.
• Épluchez les bananes et coupez-les en rondelles.
• Émincez la viande. Mélangez le tout.
• Faites une sauce avec l'huile d'arachide, le jus de citron et le nuoc-mâm (ou le sel, le poivre et le poivre de Cayenne).
• Versez cette sauce sur le mélange. Remuez bien.
• Saupoudrez de feuilles de menthe fraîche coupées finement aux ciseaux.

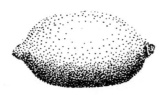

Salades de légumes cuits

85. Fonds d'artichaut aux truffes
86. Coeurs d'artichaut en salade
87. Asperges en vinaigrette
88. Caponata
89. Champignons et fonds d'artichaut en salade
90. Champignons et oignons du mont Athos
91. Salade de deux choux
92. Chou-fleur aux épices
93. Chou-fleur au soja
94. Chou-fleur à la pistache
95. Brocoli aux anchois
96. Courgettes en salade
97. Salade d'épinards au romarin
98. Salade de fenouil et de citrons confits
99. Fèves en salade
100. Fèves fraîches sauce yogourt
101. Haricots verts au cumin
102. Haricots verts aux anchois
103. Salade de haricots verts aux cèpes
104. Poireaux en asperges ou asperges "de pauvre"
105. Poireaux en asperges à l'huile de truffe
106. Poireaux à la menthe
107. Ratatouille froide
108. Hoummos ou salade de pois chiches (spécialité libanaise)
109. Poivrons à l'italienne
110. Petits légumes à la grecque
111. Salade de printemps
112. Pois mange-tout au sésame
113. Ratatouille en salade

85. Fonds d'artichaut aux truffes

Pour 6 personnes

6 fonds d'artichaut
2 ou 3 truffes
4 tomates bien fermes
1/2 salade romaine
1 tasse à thé (1 tasse) de vinaigrette citronnée à l'huile aux truffes (recette n° 16)
Quelques brins de cerfeuil

- Épluchez, lavez la salade à grande eau, mais rapidement. Essorez-la et coupez les feuilles trop grandes en fragments.
- Plongez les tomates quelques secondes dans l'eau bouillante pour les peler plus facilement. Ouvrez-les en 2, épépinez-les et pressez-les pour en éliminer l'eau de végétation. Coupez la pulpe en petits dés et remuez-les dans un peu de vinaigrette.
- Faites cuire les artichauts dans l'eau bouillante salée jusqu'à ce qu'une feuille, prise au hasard, se détache facilement. Il faut compter 30 à 40 minutes, suivant le degré de fraîcheur et la taille des artichauts.
- Sortez les artichauts de l'eau, faites-les égoutter et refroidir la tête en bas. Enlevez les feuilles et le foin. Coupez les fonds d'artichaut en tranches fines et remuez-les immédiatement dans un peu de vinaigrette pour les assaisonner et leur éviter de noircir au contact de l'air.
- Taillez les truffes en bâtonnets de 2 ou 3 cm (env. 1 po).
- Dans chaque assiette, disposez une part de salade verte. Aspergez de sauce vinaigrette. Répartissez ensuite les tranches de fonds d'artichaut, les tomates concassées et les bâtonnets de truffe de façon à faire un ensemble agréable à l'oeil.
- Aspergez du reste de vinaigrette et décorez avec de petites feuilles de cerfeuil.
- Servez sans attendre.

86. Coeurs d'artichaut en salade

Pour 6 personnes

6 artichauts violets
3 oeufs durs

Sauce:

3 c. à soupe (3 c. à table) de jus de citron
4 c. à soupe (4 c. à table) d'huile d'olive
1 c. à soupe (1 c. à table) de vin blanc sec
1 c. à café (1 c. à thé) de miel liquide (à défaut de sucre en poudre)
1 c. à café (1 c. à thé) de zeste de citron haché
1 c. à café (1 c. à thé) de fines herbes hachées
3 cornichons coupés en rondelles
Sel et poivre

- Faites cuire 5 minutes les artichauts à l'eau bouillante salée (il faut qu'ils soient aussi tendres que possible à l'achat).
- Enlevez les premières feuilles. Coupez les artichauts en 4. Retirez le foin. Arrosez les tranches d'artichauts du jus de citron et amalgamez bien pour qu'ils restent blancs.
- Faites durcir les oeufs pendant 10 minutes dans l'eau bouillante salée. Passez-les sous l'eau froide, écalez-les et coupez-les en quartiers.
- Faites la sauce en mélangeant soigneusement tous les éléments.
- Égouttez les artichauts pour enlever le surplus de jus de citron.
- Disposez alternativement les tranches d'artichauts et les tranches d'oeufs durs sur le plat de service.
- Nappez-les de la sauce. Couvrez et laissez au réfrigérateur jusqu'au moment de servir.

87. Asperges en vinaigrette

Pour 6 personnes

1,2 kg (2 lb 10 oz) d'asperges
2 oeufs durs
1 c. à soupe (1 c. à table) de persil frais haché
6 c. à soupe (6 c. à table) de vinaigrette au citron (recette n° 21)

• Épluchez les asperges. Coupez-les toutes à la même longueur et ficelez-les en botte.
• Faites-les cuire 15 à 20 minutes (suivant leur grosseur) dans un fait-tout d'eau bouillante salée. Tenez la botte debout et bombez un papier d'aluminium au-dessus des têtes des asperges qui cuiront ainsi à la vapeur.
• Faites durcir les oeufs 20 minutes à l'eau bouillante. Sortez-les, passez-les sous l'eau froide et écalez-les. Séparez les blancs des jaunes. Hachez les blancs et mélangez-les au persil haché.
• Écrasez les jaunes grossièrement à la fourchette.
• Disposez les asperges égouttées et encore tièdes dans un plat long.
• Disposez les blancs et les jaunes d'oeufs à cheval sur les asperges comme s'il s'agissait d'un ruban blanc-vert et jaune.
• Servez la sauce à part. Cette salade est meilleure si elle est servie tiède.

• **Note:** Vous pouvez utiliser cette même recette avec des poireaux bien tendres, dénommés, pour la circonstance "asperges du pauvre". C'est très bon aussi.

88. Caponata

C'est la salade traditionnelle sicilienne.

Pour 6 personnes

1 grosse aubergine
3 branches de céleri coupées en dés
1 oignon haché
6 tomates pelées, épépinées et vidées
1 1/2 c. à café (1 1/2 c. à thé) de concentré de tomates
50 g (2 oz) d'olives vertes dénoyautées
3 c. à soupe (3 c. à table) d'huile d'olive
1 c. à soupe (1 c. à table) de vinaigre de vin
1 c. à soupe (1 c. à table) de câpres bien égouttées
Quelques feuilles de laitue pour le décor
Sel et poivre

- Coupez l'aubergine en dés (sans l'éplucher). Mettez-la dans une passoire. Saupoudrez les dés d'aubergine de sel et laissez dégorger pendant 30 minutes au moins.
- Rincez bien et séchez avec un torchon.
- Faites blanchir les branches de céleri pendant 5 minutes à l'eau bouillante et laissez égoutter.
- Chauffez 2 c. à soupe (2 c. à table) d'huile d'olive dans une poêle et faites dorer l'aubergine. Il faut environ 10 minutes en remuant constamment.
- Égouttez les aubergines. Dans la même poêle et la même huile de cuisson, faites fondre l'oignon haché à feu doux pendant 5 à 7 minutes.
- Lavez, pelez et épépinez les tomates. Videz-les de leur eau de végétation et coupez-les en dés. Ajoutez-les aux oignons dans la poêle, ainsi que les dés de céleri, les olives et le concentré de tomates. Salez (peu, le concentré de tomates est souvent très salé) poivrez, couvrez et laissez frémir à feu doux pendant 5 à 7 minutes.
- Ajoutez alors le vinaigre, les câpres et les aubergines. Couvrez et laissez encore frémir pendant 5 minutes.
- Laissez refroidir et servez sur un lit de feuilles de laitue, après avoir fait rafraîchir une heure ou deux au réfrigérateur.

89. Champignons et fonds d'artichaut en salade

Pour 6 personnes

6 fonds d'artichaut
150 g (5 oz) de petits champignons de Paris
6 tranches fines de bacon maigre
1 c. à soupe (1 c. à table) de ciboulette fraîche hachée ou 1 c. à café
   (1 c. à thé) de ciboulette séchée
6 c. à soupe (6 c. à table) de vinaigrette (recette n° 21)
Jus de citron

- Coupez le haut des feuilles des artichauts et faites-les cuire à l'eau bouillante salée pendant 20 à 30 minutes, jusqu'à ce qu'une des feuilles, prise au hasard, se détache facilement.
- Égouttez-les la tête en bas. Quand ils sont refroidis, enlevez les feuilles et le foin et arrosez immédiatement les fonds de jus de citron pour éviter qu'ils ne deviennent noirs.
- Essuyez soigneusement les petits champignons. Coupez le pied sableux. Émincez finement les champignons. Arrosez-les aussi de jus de citron pour éviter qu'ils ne noircissent.
- Dans chaque assiette, disposez le fond d'artichaut, la tranche de bacon chiffonnée dessus et les champignons émincés autour.
- Coupez la ciboulette en tout petits morceaux et ajoutez-les à la vinaigrette. Versez une cuillerée de vinaigrette sur la salade dans chaque assiette.

- **Note:** Vous pouvez aussi remplacer le bacon par une cuillerée de tarama posée sur chaque fond d'artichaut. Le tarama est un mélange d'oeufs de cabillauds fumés, de crème fraîche épaisse (crème à 35 p. 100) en quantité égale et d'un filet de citron.

90. Champignons et oignons du mont Athos

Pour 6 personnes

200 g (7 oz) de tout petits oignons blancs
200 g (7 oz) de petits champignons rosés des prés (boutons de culotte)
200 g (7 oz) de raisins de Corinthe
4 c. à soupe (4 c. à table) de pulpe de tomates
4 c. à soupe (4 c. à table) de vinaigre de cidre
8 c. à soupe (8 c. à table) d'eau
4 c. à soupe (4 c. à table) de vin blanc sucré (monbazillac par exemple)
1 petit piment langue d'oiseau
1 feuille de laurier
1 branchette de thym frais ou 1 c. à café (1 c. à thé) de thym séché
1 c. à café (1 c. à thé) de graines de coriandre
Sel

- Faites gonfler les raisins pendant 30 minutes dans un bol d'eau chaude.
- Épluchez les petits oignons et laissez-les entiers.
- Essuyez soigneusement les champignons, mais ne les épluchez pas et ne les lavez pas.
- Pelez des tomates en les plongeant quelques secondes dans l'eau bouillante. Ne prenez que la pulpe épaisse que vous passez, crue, au mixer pour obtenir les 4 c. à soupe (4 c. à table) qui vous sont nécessaires.
- Mettez tous les ingrédients énumérés ci-dessus, ensemble, dans une casserole et faites cuire à très petit feu, casserole découverte, en remuant de temps en temps jusqu'à ce que les légumes soient bien tendres et le jus de cuisson réduit.
- Laissez refroidir et servez très frais avec du pain de campagne.

91. Salade de deux choux

Pour 6 personnes

300 g (10 oz) de chou blanc
300 g (10 oz) de chou rouge
6 fines tranches de lard maigre
2 oranges
0,5 litre (2 tasses) de bouillon de viande (éventuellement en cubes)
75 ml (1/3 tasse) de bon vin blanc sec
2 c. à café (2 c. à thé) de moutarde à l'orange (recette n° 18)
6 c. à soupe (6 c. à table) d'huile d'arachide (ou de tournesol)
1 c. à soupe (1 c. à table) de vinaigre de vin
2 c. à café (2 c. à thé) de graines de carvi ou de cumin
Sel et poivre

- Ajoutez le bouillon au vin blanc. Portez à ébullition.
- Râpez le chou blanc en fines lamelles et plongez-le de 5 à 8 minutes dans le liquide bouillant. Retirez le chou et égouttez-le.
- Faites réduire le jus de cuisson jusqu'à ce qu'il ne reste plus qu'un petit verre de liquide.
- Détaillez le chou rouge en fines lamelles et jetez le liquide bouillant dessus.
- Coupez les tranches de lard en petits morceaux et faites-les fondre et dorer doucement dans une poêle.
- Pelez les oranges à vif et enlevez la membrane blanche qui sépare les tranches. Faites cette opération au-dessus du bol dans lequel vous confectionnerez la sauce pour recueillir le jus d'orange.
- Dans ce bol, ajoutez la moutarde à l'orange, délayez-la avec le jus, le vinaigre, puis l'huile en filets, le sel et le poivre. Battez vigoureusement à la fourchette pour obtenir un mélange homogène.
- Dans un saladier, mélangez les lanières de choux encore tièdes, les lardons, les tranches d'oranges et la sauce. Remuez bien et servez aussitôt, après avoir saupoudré avec les graines de carvi (ou de cumin).

- **Note:** Si vous n'aimez pas croquer les graines de cumin, vous pouvez mettre une pincée de cumin en poudre dans la sauce et supprimer les graines.

111

92. Chou-fleur aux épices

Pour 6 personnes

300 g (10 oz) de chou-fleur (les bouquets seulement)
200 g (7 oz) de champignons de Paris
50 g (2 oz) d'amandes effilées ou de noisettes
4 c. à soupe (4 c. à table) de sauce au roquefort (recette n° 30)
1 gousse d'ail hachée menu
1 petite c. à café (1 petite c. à thé) d'un mélange de paprika et de cumin en poudre
1 c. à soupe (1 c. à table) de persil (ou de ciboulette) haché (facultatif)
Jus de citron (au besoin)

• Épluchez le chou-fleur. Retirez les bouquets. Lavez-les et faites-les blanchir pendant 3 minutes dans une casserole d'eau bouillante salée. Égouttez-les soigneusement.

• Faites la sauce en mélangeant, au fond du saladier: la sauce au roquefort, l'ail écrasé et la cuillerée d'épices. Goûtez et au besoin ajoutez encore un filet de citron. Il faut que la sauce soit bien acidulée.

• Coupez le bout sableux des champignons. Essuyez-les soigneusement. Coupez-les en lamelles et mettez-les immédiatement dans la sauce où vous les tournerez pour éviter qu'ils ne noircissent.

• Ajoutez les amandes et les bouquets de chou-fleur quand ils seront bien égouttés. Remuez bien et, éventuellement, parsemez de persil haché.

93. Chou-fleur au soja

Pour 6 personnes

300 g (10 oz) de chou-fleur
300 g (10 oz) de germes de soja frais
1 avocat
Le jus d'un citron
6 c. à soupe (6 c. à table) de vinaigrette aux herbes (recette no 21)

- Épluchez le chou-fleur. Séparez-le en petits bouquets. Lavez-le. Plongez les bouquets pendant 2 à 3 minutes dans l'eau bouillante salée.
- Ouvrez l'avocat. Enlevez le noyau et détaillez-le en lamelles que vous arroserez immédiatement de jus de citron pour éviter qu'elles ne noircissent.
- Disposez dans un saladier: les bouquets de chou-fleur, les lamelles d'avocat et les germes de soja.
- Versez la vinaigrette sur les légumes et remuez. Servez bien frais.

- **Note:** Les germes de soja que vous pouvez facilement trouver dans les épiceries exotiques sont très nutritifs parce que riches en protéines.

---

94. Chou-fleur à la pistache

Pour 6 personnes

1 chou-fleur
1 poivron rouge
50 g (2 oz) de pistaches
6 c. à soupe (6 c. à table) de sauce James de Coquet (recette n° 31)

- Divisez le chou-fleur en petits bouquets que vous ferez blanchir quelques minutes dans l'eau bouillante salée. Égouttez et laissez refroidir. Les bouquets de chou-fleur doivent être attendris mais rester fermes cependant.
- Épépinez et émincez le poivron.
- Émondez les pistaches.
- Mettez le chou-fleur et le poivron dans le saladier où se trouve la sauce. Remuez bien et parsemez de pistaches.

- **Note:** À la rigueur, vous pouvez remplacer les pistaches par des noisettes ou des amandes grillées.
- Même recette avec des brocolis, même temps de cuisson.

95. Brocoli aux anchois

Pour 6 personnes

750 g (1 lb 10 oz) de brocoli
300 g (10 oz) de crevettes roses (une fois décortiquées)
50 g (2 oz) de filets d'anchois à l'huile
3 côtes de céleri
3 oeufs durs
1 gousse d'ail
50 g (2 oz) de chapelure
1 petite tasse à thé (1 tasse) de vinaigrette (recette n° 21)
Olives noires pour décorer
30 g (2 c. à table) de beurre

- Épluchez les brocolis, lavez-les et divisez-les en petits bouquets. Faites-les cuire pendant 10 minutes à l'eau bouillante salée. Il faut qu'ils soient juste tendres.
- Égouttez-les après les avoir passés sous l'eau froide dans une passoire.
- Lavez les côtes de céleri, ôtez les filaments et coupez-les en rondelles minces.
- Égouttez les filets d'anchois.
- Durcissez les oeufs en les plongeant pendant 10 minutes dans l'eau bouillante salée. Sortez-les, passez-les sous l'eau froide et écalez-les. Coupez-les en quartiers.
- Pelez l'ail et hachez-le menu. Faites fondre le beurre dans une poêle, ajoutez l'ail haché et la chapelure et remuez constamment jusqu'à ce qu'ils soient dorés puis retirez du feu et laissez refroidir.
- Mélangez les bouquets de brocoli, les crevettes et les rondelles de céleri.
- Faites la vinaigrette dans un petit bol à part et ajoutez la chapelure aillée. Versez sur la salade et mélangez bien.
- Décorez avec les olives, les anchois et les quartiers d'oeufs durs.

96. Courgettes en salade

Pour 6 personnes

600 g (1 lb 5 oz) de courgettes
2 belles tomates
1 petit oignon haché
1 gousse d'ail émincée
2 c. à soupe (2 c. à table) d'huile d'olive
450 ml (1 3/4 tasse) de vin blanc sec
1 c. à café (1 c. à thé) de cumin en poudre
1/2 c. à café (1/2 c. à thé) de coriandre en graines
1 bouquet garni (thym, laurier et persil)
Sel et poivre

- Lavez les courgettes et coupez-les en fines rondelles sans les éplucher.
- Faites chauffer l'huile dans une poêle et faites revenir sans qu'ils prennent couleur, l'ail émincé et l'oignon haché.
- Ajoutez le vin et faites bouillir jusqu'à ce que le mélange ait réduit de moitié.
- Mettez dans la poêle les courgettes coupées en rondelles fines, le cumin, les graines de coriandre et le bouquet garni. Salez et poivrez.
- Mélangez bien et laissez cuire de 6 à 8 minutes. Les courgettes doivent être juste tendres.
- Hors du feu, incorporez les tomtates épépinées. Couvrez pour que la chaleur du plat attendrisse les tomates sans les cuire vraiment.
- Laissez refroidir lentement. Retirez le bouquet garni et tenez au frais au réfrigérateur pour 2 heures au moins.

- **Note:** Vous pouvez décorer d'un oeuf dur en petits morceaux ou d'herbes aromatiques hachées menu.

97. Salade d'épinards au romarin

Pour 6 personnes

1 kg (2 lb 3 oz) d'épinards
1 oignon haché
1 gousse d'ail écrasée
Quelques brindilles de romarin frais ou 1 c. à café (1 c. à thé) de romarin séché
2 c. à soupe (2 c. à table) d'huile de tournesol

Sauce:

150 g (5 oz) de crème fraîche un peu liquide (crème à 12 ou à 15 p. 100)
1 c. à café (1 c. à thé) de moutarde aromatique
2 c. à soupe (2 c. à table) de jus de citron
Sel et poivre

- Épluchez et lavez rapidement les épinards dans plusieurs eaux.
- Sans les égoutter, mettez-les dans un fait-tout en plein feu et faites-les blanchir 5 minutes avec l'eau restée sur les feuilles pour seul liquide. Ajoutez les brindilles de romarin et du sel.
- Au bout de 5 minutes, égouttez les épinards, pressez-les entre vos mains pour en éliminer le plus possible de liquide et hachez-les menu.
- Chauffez l'huile dans une poêle. Ajoutez le romarin, puis l'oignon haché et l'ail écrasé. Faites cuire à tout petit feu et à couvert pendant quelques minutes en remuant souvent. Salez et poivrez.
- Quand les oignons sont devenus translucides, faites réchauffer les épinards dans cette poêle et mélangez-les bien aux oignons et ail hachés.
- Retirez du feu.
- Dans un saladier, mélangez la crème, le citron, la moutarde et une petite pincée de sel et de poivre.
- Versez les épinards dans le saladier. Mélangez bien avec la sauce et laissez refroidir avant de servir.

98. Salade de fenouil et de citrons confits

Pour 6 personnes

600 g (1 lb 5 oz) de coeurs de fenouil
4 citrons
2 c. à soupe (2 c. à table) d'huile d'olive
2 gousses d'ail
100 ml (env. 1/2 tasse) de vin blanc sec
1 c. à soupe (1 c. à table) de graines de coriandre
1 c. à café (1 c. à thé) de sel marin
Poivre

Pour décorer:

Des branchettes d'aneth frais et des fleurs de capucine

- Coupez les coeurs de fenouil en 6 ou 8 morceaux. Coupez les citrons en 10 ou 12 quartiers, après les avoir bien lavés, savonnés et brossés (à moins que vous ne soyez absolument sûr qu'ils n'ont pas été traités chimiquement).
- Épluchez les gousses d'ail et écrasez-les.
- Mettez l'huile d'olive dans une casserole. Quand elle est chaude, ajoutez les gousses d'ail, les morceaux de fenouil et les quartiers de citrons. Couvrez pendant 5 minutes.
- Mouillez de vin blanc et cuisez à découvert pour que le liquide réduise de moitié. Ajoutez alors un peu d'eau, le sel, le poivre et les graines de coriandre. Cuisez encore 20 minutes.
- Laissez refroidir et servez frais mais non glacé après avoir décoré votre plat avec des branchettes légères d'aneth frais et de fleurs de capucine.

99. Fèves en salade

Pour 6 personnes

1 kg (2 lb 3 oz) de fèves (une fois épluchées)
200 g (7 oz) de crème fraîche liquide (crème à 12 ou à 15 p. 100)
1 branche de sariette fraîche ou 1 c. à café (1 c. à thé) de sariette séchée
Sel et poivre
Le jus d'un citron

• Faites cuire les fèves fraîchement écossées (ayez soin d'enlever le petit pédoncule noir à la base de la fève) dans de l'eau bouillante salée, si possible parfumée à la sariette.
• Égouttez-les soigneusement.
• Faites une sauce avec la crème fraîche, le jus de citron, le sel, le poivre et la sariette émiettée dans la sauce.
• Enveloppez les fèves encore tièdes de cette sauce et servez aussitôt.

• **Note:** Si les fèves sont très jeunes et très tendres, utilisez-les à peine cuites, juste blanchies mais enlevez leur première peau et leur pédoncule.

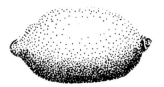

100. Fèves fraîches sauce yogourt

Pour 6 personnes

1 kg (2 lb 3 oz) de fèves fraîches (pour avoir 500 g (1 lb) de graines)
3 belles tomates
150 g (5 oz) de lard maigre
1 branchette de sariette fraîche ou 1 c. à café (1 c. à thé) de sariette séchée
100 ml (3 oz) de yogourt au naturel
Le jus d'un citron
Sel, poivre et 1 pointe de Cayenne

• Écossez les fèves. Dans la mesure du possible, débarrassez-les de leur peau dure et, en tout cas, de la petite pointe noire à l'une de leurs extrémités.
• Faites-les cuire 5 minutes à l'eau bouillante salée.
• Coupez le lard en petits dés et mettez-les sans matière grasse dans une poêle à revêtement antiadhérent et faites-les cuire à feu doux pour qu'ils perdent leur graisse. Laissez-les cuire jusqu'à ce qu'ils soient bien dorés. Sortez-les de la poêle et laissez-les égoutter sur du papier absorbant.
• Pelez les tomates en les plongeant quelques secondes dans l'eau bouillante. Leur peau s'enlèvera beaucoup plus facilement. Coupez-les en rondelles, enlevez les pépins et le plus possible leur eau de végétation.
• Battez vigoureusement dans un bol le yogourt au naturel, le jus de citron, le sel, le poivre et le poivre de Cayenne.
• Dans un plat assez creux, disposez les rondelles de tomate en couronne, puis les fèves au milieu. Parsemez avec les petits lardons.
• Ajoutez la sariette dans la sauce au yogourt. Versez cette sauce sur le plat et servez frais.

101. Haricots verts au cumin

Pour 6 personnes

400 g (14 oz) de haricots verts
2 belles pommes de terre (d'une qualité qui reste ferme à la cuisson)
1 zeste de citron râpé
2 oeufs durs
15 petites olives noires pour le décor

Sauce:

6 c. à soupe (6 c. à table) d'huile d'olive
2 c. à soupe (2 c. à table) de jus de citron
1/2 c. à café (1/2 c. à thé) de cumin en poudre
Sel et poivre

- Épluchez et lavez les haricots verts. Plongez-les dans une casserole d'eau bouillante salée pendant 5 à 6 minutes. Laissez frémir seulement à partir de la reprise de l'ébullition. Faites cuire à découvert.
- Égouttez-les et laissez-les refroidir. Ils doivent être attendris mais encore fermes.
- Faites cuire les pommes de terre avec leur peau dans l'eau bouillante salée. Épluchez-les et coupez-les en petits dés.
- Durcissez les oeufs en les plongeant dans l'eau bouillante salée pendant 10 minutes. Sortez-les, passez-les sous l'eau froide et écalez-les. Écrasez-les grossièrement à la fourchette.
- Dans le fond du saladier, faites la sauce avec les éléments énumérés ci-dessus. Ajoutez le zeste de citron bien lavé et râpé.
- Mélangez à cette sauce les haricots verts et les dés de pommes de terre. Disposez dessus les olives noires en garniture et saupoudrez avec les oeufs durs écrasés.

102. Haricots verts aux anchois

Pour 6 personnes

500 g (1 lb) de haricots verts
1 gros oignon doux
75 g (2 1/2 oz) d'anchois à l'huile
Quelques feuilles de salade de Trévise
1 c. à café (1 c. à thé) de moutarde à l'estragon
4 à 5 c. à soupe (4 à 5 c. à table) de vinaigrette au citron (recette n° 21)

- Épluchez et lavez les haricots à l'eau tiède.
- Plongez-les dans une casserole d'eau bouillante salée et laissez-les frémir à découvert pendant 8 à 10 minutes à partir de la reprise d'ébullition. Égouttez-les et laissez-les refroidir.
- Épluchez l'oignon doux et coupez-le en rondelles très fines. Détachez les anneaux.
- Coupez les anchois en petits morceaux.
- Faites la vinaigrette en lui ajoutant la moutarde douce.
- Disposez les feuilles de salade de Trévise tout autour du plat de service. Mélangez ensemble les haricots verts, les anchois et les anneaux d'oignons. Posez-les en dôme au milieu du plat.
- Arrosez le tout avec la vinaigrette et servez frais.

103. Salade de haricots verts aux cèpes

Pour 6 personnes

200 g (7 oz) de haricots verts très fins
250 g (8 oz) de cèpes frais
120 g (4 oz) de carottes râpées
2 petits pamplemousses
2 pommes rouges (moyennes)
30 g (1 oz) de maïs en grains (en conserve)
1 belle laitue
6 c. à soupe (6 c. à table) de sauce vinaigrette au citron (recette n° 21)

• Épluchez les haricots verts. Lavez-les rapidement et soigneusement. Plongez-les immédiatement dans l'eau bouillante salée et laissez bouillir, à découvert, de 4 à 6 minutes. Sortez-les et plongez-les dans une cuvette d'eau très froide. Égouttez-les bien.
• Nettoyez les cèpes. Lavez-les très rapidement et jetez-les pour 1 minute dans l'eau bouillante salée. Égouttez-les et coupez-les en lamelles très fines.
• Pelez à vif les pamplemousses puis à l'aide d'un couteau très pointu, enlevez les membranes blanches qui en séparent les quartiers. Effectuez cette opération au-dessus d'un saladier, dans lequel vous mettrez aussi les tranches de pamplemousses.
• Coupez et pelez les pommes. Enlevez les pépins et coupez-les en tranches fines que vous mélangerez tout de suite aux tranches et au jus de pamplemousse. Vous leur éviterez ainsi de noircir.
• Épluchez, lavez et râpez finement les carottes.
• Épluchez la salade, lavez-la soigneusement et rapidement à grande eau. Essorez-la et séchez-la.
• Préparez la sauce dans un saladier. Tournez dedans successivement la salade verte, les haricots verts et les carottes râpées.
• Tapissez un grand plat avec les feuilles de salade verte. Mettez les haricots en dôme au milieu; rangez les carottes râpées en couronne tout autour, puis le mélange de pamplemousses et de pommes.
• Décorez avec le maïs en grains (à défaut, avec des olives).

104. Poireaux en asperges ou asperges "de pauvre"

Pour 6 personnes

1,5 kg (3 lb 5 oz) de poireaux jeunes et tendres
Sel et poivre
1 vinaigrette bien relevée (recette n° 22)
1 c. à soupe (1 c. à table) de persil frais haché ou 1 c. à café (1 c. à thé) de persil séché

• Voilà une entrée des plus simples et des plus délicieuses.
• Épluchez et lavez très soigneusement les poireaux. Enlevez la plus grande partie du vert. Ficelez-les en petites bottes et faites-les cuire 20 minutes dans un grand fait-tout d'eau salée.
• Retirez-les et égouttez-les. Gardez-les au tiède.
• Disposez les blancs de poireaux déficelés sur un ravier. Saupoudrez-les de persil haché, poivrez et accompagnez d'une vinaigrette bien relevée.

105. Poireaux en asperges à l'huile de truffe

Pour 6 personnes

12 blancs de poireaux
15 à 30 g (1/2 à 1 oz) de pelures de truffe

Sauce:

3 c. à soupe (3 c. à table) d'huile d'olive aux truffes (recette n° 16)
1 c. à soupe (1 c. à table) de jus de citron
Sel et poivre

• Lavez soigneusement les blancs de poireaux. Faites-les cuire 15 minutes environ (suivant leur grosseur) dans l'eau bouillante salée. Égouttez-les soigneusement.
• Faites la sauce avec les ingrédients énumérés ci-dessus.
• Disposez les poireaux encore tièdes dans un ravier. Saupoudrez-les de pelures de truffe. Nappez de sauce. Servez immédiatement.

• **Note:** Ce plat, très raffiné, n'a plus rien des asperges de pauvre (recette n° 104). Mais, juste retour des choses, cette préparation aux truffes ne gagne rien à être utilisée avec des asperges. Elle leur convient même assez mal.

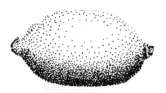

106. Poireaux à la menthe

Cette recette est un tout petit peu plus sophistiquée que la précédente, mais elle est tout autant délicieuse.

Pour 6 personnes

1,5 kg (3 lb 5 oz) de poireaux jeunes et tendres
6 branches de menthe fraîche ou 1 c. à soupe (1 c. à table) de menthe séchée
1 c. à café (1 c. à thé) de moutarde de Dijon
3 c. à soupe (3 c. à table) de vinaigre de vin, de préférence aromatisé à l'estragon (recette n° 3)
6 c. à soupe (6 c. à table) d'huile d'olive
Sel et poivre

- Lavez et épluchez très soigneusement les poireaux. Coupez un peu de la base verte, mais pas tout.
- Bottelez en petits paquets (vert et blanc) et faites cuire 20 minutes à l'eau bouillante salée.
- Égouttez-les et réservez-les au tiède.
- Lavez, séchez et ciselez très fin les feuilles de menthe si vous utilisez cette herbe fraîche.
- Faites une sauce avec la moutarde, le vinaigre et l'huile, salez et poivrez. Ajoutez la menthe.
- Disposez les poireaux sur un plat en posant les feuilles vertes que vous aurez séparées des blanches en les coupant aux ciseaux. Versez la moitié de la sauce sur les feuilles vertes. Disposez ensuite les feuilles blanches et nappez du reste de sauce.
- Servez tiède.

107. Ratatouille froide

Pour 6 personnes

3 petites courgettes très fermes
2 aubergines
6 tomates
1 oignon
2 gousses d'ail
1 branche de céleri
1 branche d'estragon frais ou 1 c. à café (1 c. à thé) d'estragon séché
3 feuilles de sauge fraîche ou 1 pincée de sauge séchée
1/2 bouquet de persil frais ou 1 c. à café (1 c. à thé) de persil séché
1/2 bouquet de ciboulette fraîche ou 1 c. à café (1 c. à thé) de ciboulette
      séchée
1 branchette de thym frais ou 1 pincée de thym séché
1 petite feuille de laurier
1/2 c. à café (1/2 c. à thé) de basilic haché
3 + 3 c. à soupe (3 + 3 c. à table) d'huile d'olive
Le jus d'un demi-citron
Sel et poivre

• Lavez les légumes. Épluchez les aubergines. Coupez les tomates, les aubergines, les courgettes en petits morceaux, l'oignon en lamelles et l'ail en tout petits morceaux.
• Faites revenir tous ces légumes dans 3 c. à soupe (3 c. à table) d'huile d'olive. Si vous utilisez des herbes fraîches, ajoutez toutes les herbes liées en bouquet (à l'exception du basilic) ou ajoutez ces herbes séchées. Laissez cuire à petit feu pendant 30 minutes environ. Salez et poivrez.
• Laissez refroidir dans un saladier après avoir égoutté ce qui pourrait rester du jus de cuisson. Saupoudrez de basilic haché. Versez sur le mélange 3 cuillerées d'huile d'olive et le jus de citron et servez très frais.

108. Hoummos ou salade de pois chiches (spécialité libanaise)

Pour 6 personnes

200 g (7 oz) de pois chiches
1 grosse gousse d'ail écrasée
Le jus d'un citron
4 c. à soupe (4 c. à table) de graines de sésame (*ou* 3 c. à soupe (3 c. à table) de tahin (*tahini*)
100 ml (3 oz) de yogourt nature
Sel et poivre
1 pincée de paprika (facultatif)
Feuilles de laitue
6 tranches de tomate pour la décoration
6 olives noires pour la décoration

- Faites tremper les pois chiches toute une nuit dans l'eau froide.
- Égouttez-les et enlevez les peaux translucides qui sont particulièrement indigestes.
- Mettez les pois chiches dans une casserole et couvrez d'eau salée. Portez à ébullition puis baissez le feu et laissez mijoter environ 1 heure, jusqu'à ce qu'ils soient très tendres.
- Égouttez-les encore. Broyez-les en purée au mixer, en ajoutant la gousse d'ail écrasée et le jus de citron, puis le yogourt, le sel et le poivre.
- Incorporez les graines de sésame (ou le tahin (*tahini*). Mélangez bien et saupoudrez — éventuellement — d'un peu de paprika.
- Présentez en petites boules posées sur de belles feuilles de laitue et ornez d'une tranche de tomate et d'une olive noire.

109. Poivrons à l'italienne

Pour 6 personnes

1,5 kg (3 lb 5 oz) de poivrons rouges ou jaunes
15 anchois
2 gousses d'ail
125 ml (2/3 tasse) d'huile d'arachide (ou de tournesol)
450 ml (1 3/4 tasse) de vinaigre de vin
150 g (5 oz) de crème fraîche épaisse (crème à 35 p. 100)
Sel et poivre

• Enlevez la peau des poivrons. Pour le faire facilement, enduisez-les d'huile, piquez-les d'une fourchette à long manche (pour barbecue) et passez-les au-dessus de la flamme du gaz, sur toutes leurs faces. Ils vont se couvrir de boursouflures, et seront ainsi faciles à éplucher.
• Ouvrez-les et retirez les membranes blanches et les pépins, puis posez-les sur un papier absorbant ou un linge et saupoudrez-les très légèrement de sel. Laissez-les en attente pendant 1 heure au moins pour qu'ils perdent leur eau de végétation.
• Faites dessaler les anchois sous un filet d'eau pendant 30 minutes. Ouvrez-les par le dos et enlevez l'arête.
• Épluchez les gousses d'ail et broyez-les finement. Mettez-les dans une casserole avec le vinaigre et mettez à bouillir jusqu'à ce que le mélange ait réduit de moitié.
• Baissez le feu, ajoutez les anchois et travaillez à la spatule de bois jusqu'à l'obtention d'une purée. Incorporez le poivre moulu, l'huile et faites repartir l'ébullition. Coupez le feu. Incorporez la crème en battant bien. Goûtez pour rectifier l'assaisonnement s'il y a lieu. Les anchois restent généralement assez salés pour qu'il ne soit pas nécessaire de rajouter du sel.
• Brassez les poivrons sur le plat de service. Nappez-les de la sauce. Servez frais.

• **Note:** Vous pouvez faire une entrée plus importante en ornant votre plat de tranches d'oeufs durs, de tomates, d'olives et de quartiers de citron.

110. Petits légumes à la grecque

Pour 6 personnes

150 g (5 oz) de carottes coupées en bâtonnets
150 g (5 oz) de bouquets de chou-fleur
150 g (5 oz) de brocoli nettoyé
150 g (5 oz) de haricots verts coupés en bâtonnets
        ou bien
600 g (1 lb 5 oz) de tout petits oignons appelés "grelots" épluchés
        ou bien
600 g (1 lb 5 oz) de petits champignons roses en bouton (ou de champignons de Paris)

Pour tous ces légumes, le reste des ingrédients et de la recette est le même:
3 gousses d'ail
3 c. à soupe (3 c. à table) de vinaigre blanc
Le jus d'un citron
1 c. à café (1 c. à thé) de graines de coriandre
100 ml (env. 1/2 tasse) de jus de tomate
100 ml (env. 1/2 tasse) d'huile d'olive
1 c. à soupe (1 c. à table) de graines de sésame
1 c. à soupe (1 c. à table) de sucre roux cristallisé
Sel et poivre
1 pincée de paprika
1 pointe de couteau de poivre de Cayenne

• Pelez et lavez les légumes (contentez-vous de bien essuyer les champignons).
• Mettez-les dans une terrine.
• Hachez finement les gousses d'ail. Saupoudrez-en les légumes, puis ajoutez les graines de coriandre et de sésame.
• Mélangez le jus de tomate, l'huile, le vinaigre, le jus de citron et le sucre. Amalgamez bien tous ces éléments. Versez-les aussi sur les légumes. Salez, poivrez, ajoutez le paprika et le poivre de Cayenne.
• Couvrez d'un linge et laissez mariner au frais pendant 12 heures.
• Versez alors le mélange légumes et marinade dans une casserole sur feu moyen et faites mijoter au moins 20 minutes. Il faut que la marinade soit bien réduite et compose une sauce onctueuse.
• Retirez alors du feu. Mettez dans le plat de service et laissez refroidir, puis mettez au réfrigérateur pendant plusieurs heures pour pouvoir le présenter bien frais à vos convives.

111. Salade de printemps

Pour 6 personnes

1 kg (2 lb 3 oz) d'asperges cuites
450 g (15 oz) de haricots verts
150 g (5 oz) de champignons de Paris
300 g (10 oz) de carottes
Le jus d'un citron
3 oeufs durs
Quelques feuilles de salade pour le décor

Sauce:

100 ml (3 oz) de yogourt au naturel
2 c. à soupe (2 c. à table) de crème fraîche (crème à 35 p. 100)
2 c. à soupe (2 c. à table) de jus de citron
1/2 c. à café (1/2 c. à thé) de moutarde à l'estragon
1 c. à soupe (1 c. à table) de vinaigre de xérès
Quelques brins de cerfeuil frais ou 1 c. à café (1 c. à thé) de cerfeuil séché
Sel et poivre

• Faites cuire les asperges après les avoir grattées. Mettez-les dans un grand fait-tout d'eau bouillante, têtes en haut recouvertes d'un morceau de papier d'aluminium bombé pour qu'elles cuisent à la vapeur. Laissez cuire pendant 15 minutes.
• Gardez les têtes d'asperges pour la garniture. Coupez les parties tendres en tronçons de 4 à 5 cm (1 1/2 à 2 po).
• Épluchez et lavez les haricots verts. Faites-les blanchir à l'eau bouillante salée pendant 5 à 7 minutes, à découvert. Égouttez-les et rincez-les sous l'eau froide.
• Coupez le pied sableux des champignons de Paris, essuyez-les très soigneusement (sans les laver) et coupez-les en lamelles. Arrosez-les immédiatement de jus de citron pour qu'ils ne noircissent pas.
• Épluchez les carottes et passez-les dans la grille à plus gros trous du moulin à légumes.
• Faites la sauce en mélangeant le yogourt, la crème fraîche, la moutarde, le citron, le vinaigre, le sel et le poivre.

• Fouettez vigoureusement le mélange. Incorporez les haricots verts, les champignons, les carottes râpées et les tronçons d'asperges.

• Tapissez le fond et les parois d'un grand plat creux des feuilles de salade. Disposez les pointes d'asperges sur les feuilles du pourtour. Versez la salade assaisonnée au milieu. Décorez avec le cerfeuil et des rondelles d'oeufs durs.

---

112. Pois mange-tout au sésame

Pour 6 personnes

500 g (1 lb) de pois mange-tout
200 g (7 oz) de tout petits oignons grelot
1 c. à soupe (1 c. à table) de graines de sésame
**1 tasse à thé (1 tasse) de vinaigrette au vinaigre de cidre (*voir* page 28, Fa-
briquer son propre vinaigre)**

• Effilez les pois et coupez en deux dans le sens de la longueur ceux qui seraient trop gros.

• Épluchez les petits oignons.

• Plongez les légumes ensemble pendant 6 à 8 minutes dans l'eau bouillante salée. Ils doivent être attendris mais encore fermes.

• Égouttez-les soigneusement.

• Faites la vinaigrette au vinaigre de cidre au fond d'un saladier. Versez les légumes encore tièdes sur la vinaigrette. Remuez bien pour qu'ils s'imprègnent de la sauce et que la vinaigrette finisse de les attendrir.

• Saupoudrez de sésame et servez frais (mais pas trop froid).

113. Ratatouille en salade

Pour 6 personnes

1 aubergine
300 g (10 oz) de courgettes (minimum)
1 poivron vert
4 à 6 tomates pelées
2 gousses d'ail
1/2 c. à café (1/2 c. à thé) de graines de coriandre
6 c. à soupe (6 c. à table) d'huile d'olive
Le jus d'un citron
Sel et poivre

Décor:

Fleurs de capucine

- Émincez l'aubergine. Faites-la revenir dans une poêle avec 3 c. à soupe (3 c. à table) d'huile d'olive. Quand les morceaux sont blonds, égouttez-les et mettez-les dans un saladier.
- Dans la même poêle, faites revenir les courgettes et le poivron émincés, eux aussi, pendant 8 à 10 minutes. Ajoutez l'ail écrasé, les graines de coriandre, le sel et le poivre.
- Laissez cuire encore quelques minutes.
- Pendant ce temps, pelez les tomates en les plongeant quelques secondes dans l'eau bouillante. Épépinez-les et coupez-les en petits dés. Ajoutez-les dans la poêle. Remuez bien. Coupez la cuisson. Couvrez et laissez refroidir.
- Quand le mélange est tout à fait froid, ajoutez-le dans le saladier aux aubergines. Remuez bien.
- Aspergez du jus de citron et des cuillerées d'huile qui restent que vous aurez mélangés.
- Mélangez bien le tout.
- Décorez de fleurs de capucine dont la saveur poivrée est un attrait supplémentaire.

Salades
de légumes secs
et de farineux

Salades de légumes secs et de farineux

114. Coquillettes en salade au basilic
115. Couscous pied-noir (ou couscous "comme là-bas")
116. Salade de flageolets et d'agneau
117. Salade de trois haricots
118. Salade de lentilles au saucisson chaud
119. Salade de nouilles au safran
120. Salade de nouilles fraîches et de moules
121. Salade au pain
122. Salade d'oseille et de pommes de terre
123. Pommes de terre à l'indienne en salade
124. Salade de pommes de terre à la portugaise
125. Salade de pommes de terre au vinaigre de framboise
126. Salade des Balkans
127. Salade de deux pommes
128. Salade de riz et de fruits secs
129. Salade de riz et d'abricots aux épices
130. Salade de riz et de petits pois
131. Mesclun à l'algérienne
132. Salade de topinambours aux noix

114. Coquillettes en salade au basilic

Pour 6 personnes

300 g (10 oz) de coquillettes
1/2 tête de chicorée frisée
30 g (1 oz) de parmesan râpé
1 beau bouquet de basilic frais ou 1 c. soupe (1 c. à table) de basilic séché
2 gousses d'ail
25 g (3/4 oz) d'amandes effilées
8 c. à soupe (8 c. à table) d'huile d'olive
Sel et poivre

• Faites cuire les coquillettes dans une grande casserole d'eau salée bouillante. Laissez-les cuire pendant 8 à 10 minutes. Elles doivent être encore un peu fermes sous la dent.
• Égouttez-les, passez-les sous l'eau froide et égouttez-les à nouveau.
• Épluchez, lavez et essorez soigneusement la chicorée frisée. Coupez-la en petits morceaux.
• Si vous utilisez du basilic frais, lavez les feuilles de basilic. Essuyez-les dans un torchon et coupez-les finement aux ciseaux.
• Hachez les amandes effilées au mixer.
• Mélangez, au fond du saladier, les amandes broyées, le basilic, l'huile d'olive, l'ail, le parmesan râpé, le sel et le poivre. Fouettez vigoureusement à la fourchette pour obtenir un bon amalgame.
• Mélangez à part les coquillettes et les morceaux de salade.
• Versez-les sur la sauce, remuez bien et servez tout de suite.

• **Note:** Si la qualité des pâtes est telle qu'elles absorbent plus d'huile que prévu, vous pouvez rajouter 1 ou 2 c. à soupe (1 ou 2 c. à table) d'huile d'olive. Elles doivent être bien enrobées de sauce, mais sans nager dans l'huile, toutefois.

115. Couscous pied-noir (ou couscous "comme là-bas")

Pour 6 personnes

250 g (8 oz) de couscous précuit (la semoule)
3 belles tomates
2 oignons doux
100 g (3 oz) de raisins secs
50 g (2 oz) d'amandes grillées
8 c. à soupe (8 c. à table) d'huile d'olive
Le jus de 2 citrons
1/2 c. à café (1/2 c. à thé) de rās al-hānout (épices pour le couscous)
Sel et poivre
1 c. à soupe (1 c. à table) de coriandre fraîche hachée (à défaut du persil)
100 g (3 oz) d'olives vertes et noires

- Faites gonfler le couscous précuit 30 minutes dans 0,5 litre (2 tasses) d'eau froide salée (à moins que vous n'utilisiez le reste de semoule d'un couscous servi la veille).
- Quand le couscous est bien gonflé, prenez dans votre main la valeur de 1 c. à soupe (1 c. à table) et frottez vos paumes l'une contre l'autre au-dessus d'un saladier pour que les graines de semoule se détachent les unes des autres. Cette opération s'appelle "rouler" le couscous.
- Coupez les tomates en petits morceaux au-dessus de la semoule sans vous soucier de l'eau de végétation qui tombe sur le couscous. Au contraire, cette eau imprégnera la semoule.
- Coupez les oignons en rondelles très fines et détachez les anneaux. Ajoutez les raisins secs, les amandes grillées et mélangez-les à la semoule et aux tomates.
- Faites la sauce avec l'huile d'olive, le jus des citrons, le sel, le poivre et le rās al-hānout. Ajoutez la coriandre hachée (ou le persil).
- Versez la sauce sur la salade. Mélangez bien. Ajoutez les olives. Remuez encore. Laissez reposer au frais pendant 1 heure avant de servir.

- **Note:** Si vous ne trouvez pas de rās al-hānout (dans toutes les épiceries orientales), faites votre mélange vous-même avec 1/2 c. à café (1/2 c. à thé) de cumin en poudre, 1 pincée de poivre de Cayenne, 1 pincée de paprika fort, 1 pincée de quatre-épices et 1 pincée de graines de coriandre broyées.

116. Salade de flageolets et d'agneau

Pour 6 personnes

300 g (10 oz) de flageolets mis à tremper toute une nuit
400 à 500 g (14 oz à 1 lb) de chair d'agneau rôti
1 échalote coupée menu
2 gousses d'ail écrasées
8 c. à soupe (8 c. à table) de vinaigrette à l'huile d'olive et au citron (recette n° 21)
1 c. à soupe (1 c. à table) de persil frais haché ou 1 c. à café (1 c. à thé) de persil séché
Sel

• Faites tremper les haricots flageolets toute la nuit. Égouttez-les et rincez-les sous l'eau froide. Mettez-les dans une casserole avec de l'eau froide et faites-les cuire à couvert pendant 1 heure 30 minutes environ. Ne salez qu'en fin de cuisson.

• Égouttez les flageolets, mettez-les dans un saladier et assaisonnez de la vinaigrette dans laquelle vous aurez ajouté les gousses d'ail écrasées.

• Détaillez l'agneau rôti en petits dés. Ajoutez-les dans le saladier.

• Hachez menu l'échalote, mélangez-la au persil haché et saupoudrez-en la salade. Remuez bien et servez.

• **Note:** Cette salade permet d'utiliser les restes du classique gigot aux flageolets du dimanche.

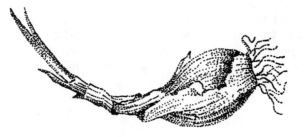

117. Salade de trois haricots

Pour 6 personnes

125 g (4 oz) de haricots rouges secs
125 g (4 oz) de haricots blancs secs
250 g (8 oz) de haricots verts
2 c. à soupe (2 c. à table) de persil haché
150 g (5 oz) de lard maigre
6 c. à soupe (6 c. à table) de vinaigrette à l'huile d'arachide et au vinaigre de vin (recette n° 21)
1/2 c. à café (1/2 c. à thé) de cumin en poudre
1 c. à soupe (1 c. à table) de vinaigre de vin
Sel

- Préparez cette salade **la veille**.
- Faites tremper séparément toute une nuit les deux sortes de haricots secs.
- Le lendemain, égouttez-les et faites-les cuire séparément toujours dans de l'eau froide que vous porterez à ébullition. Laissez cuire dans l'eau frémissante pendant 1 heure 30 minutes. Ne salez qu'en fin de cuisson. Égouttez les haricots et réservez-les dans un plat creux que vous couvrirez pour qu'ils refroidissent le moins possible.
- Épluchez, lavez et faites cuire les haricots verts dans l'eau bouillante salée pendant 7 à 8 minutes. Égouttez-les et coupez-les en petits morceaux.
- Mélangez-les encore chauds aux haricots secs.
- Versez la vinaigrette dessus, saupoudrez de la poudre de cumin et remuez bien. Laissez à couvert.
- Coupez le lard en petites tranches fines. Mettez-les à fondre à sec dans une poêle à revêtement antiadhérent. Quand ils sont bien dorés, versez-les avec leur graisse de cuisson sur la salade.
- Déglacez la poêle avec la cuillerée de vinaigre de vin et reportez sur le feu. Quand le vinaigre bout, imprimez à la poêle un mouvement tournant et versez le vinaigre bouillant sur la salade. Servez aussitôt, saupoudré de persil haché.

118. Salade de lentilles au saucisson chaud

Pour 6 personnes

250 g (8 oz) de lentilles vertes du Puy
400 g (14 oz) de saucisson cuit
1 échalote hachée menu
1 carotte entière
1 bouquet garni (persil, thym et laurier)
1 petit oignon
1 gousse d'ail
Sel et poivre
8 c. à soupe (8 c. à table) de vinaigrette à l'huile d'arachide et au vinaigre de vin (recette n° 21)
1 c. à soupe (1 c. à table) de sariette fraîche hachée ou 1 pincée de sariette séchée

• Les lentilles qu'on trouve actuellement dans le commerce ne nécessitent plus ni épluchage (finis les petits cailloux), ni prétrempage.
• Je vous conseille toutefois d'ébouillanter une première fois les lentilles en les plongeant pendant 5 minutes dans l'eau bouillante puis de les égoutter et de les remettre dans une casserole, de les couvrir d'eau froide, d'ajouter le sel, le poivre, le bouquet garni et la carotte entière, l'échalote, 1 petit oignon et une gousse d'ail (non épluchée). Amenez à ébullition et laissez frémir pendant 20 à 25 minutes, à couvert.
• Égouttez les lentilles mais gardez le jus de cuisson.
• Réservez les lentilles dans un saladier couvert pour qu'elles ne refroidissent pas trop.
• Coupez le saucisson en rondelles et faites-les réchauffer dans le jus de cuisson des lentilles (il n'a pas besoin de cuire).
• Ajoutez les rondelles de saucisson chaudes aux lentilles.
• Arrosez de la vinaigrette. Remuez bien. Saupoudrez de sariette hachée. Remuez encore et servez aussitôt, car cette salade est meilleure encore tiède.

119. Salade de nouilles au safran

Pour 6 personnes

500 g (1 lb) de nouilles fraîches
18 grosses crevettes "bouquet"
3 tomates
1 poivron vert
8 c. à soupe (8 c. à table) de vinaigrette à l'huile d'olive et au citron (recette
n° 21)
1 pointe de couteau de safran
1 c. à soupe (1 c. à table) de persil frais haché ou 1 c. à café (1 c. à thé) de
persil séché

• Faites cuire les nouilles dans l'eau bouillante salée à laquelle vous aurez ajouté la pointe de couteau de safran. Les nouilles doivent être cuites mais encore fermes sous la dent.
• Égouttez-les soigneusement.
• Décortiquez les crevettes.
• Pelez les tomates en les plongeant quelques secondes dans l'eau bouillante. Épépinez-les et enlevez leur eau de végétation. Coupez leur pulpe en petits dés.
• Ouvrez le poivron. Enlevez les graines et la membrane blanche. Coupez-le aussi en petits dés.
• Mélangez les nouilles, les dés de tomates et les dés de poivron.
• Faites la vinaigrette.
• Versez-la sur le mélange nouilles-tomates-poivrons. Remuez bien. Saupoudrez de persil haché.
• Décorez avec les crevettes "bouquet".

120. Salade de nouilles fraîches et de moules

Pour 6 personnes

500 g (1 lb) de nouilles fraîches
1,5 litre (6 tasses) de moules
1 c. à café (1 c. à thé) de moutarde au citron vert*
Le jus d'un citron
6 c. à soupe (6 c. à table) d'huile de crustacés (recette n° 15)
Sel et poivre
2 c. à soupe (2 c. à table) d'huile d'olive ou 20 g (1 grosse c. à table) de beurre

• Faites cuire les nouilles dans l'eau bouillante salée à laquelle vous aurez ajouté l'huile d'olive (ou le beurre) pour qu'elles ne collent pas les unes sur les autres.
• Égouttez-les dès qu'elles sont cuites. Elles doivent être un peu fermes sous la dent. Passez-les sous l'eau chaude puis égouttez-les à nouveau.
• Faites ouvrir les moules lavées, nettoyées et ébarbées dans une casserole à sec, posée sur feu vif. Remuez constamment la casserole, retirez les moules dès qu'elles sont ouvertes (jetez celles qui ne peuvent pas s'ouvrir).
• Enlevez les moules de leurs coquilles. Mélangez-les aux nouilles.
• Faites la sauce en battant fortement à la fourchette la moutarde, le jus de citron et l'huile de crustacés, salez et poivrez.
• Versez la sauce sur les nouilles aux moules, remuez bien et servez aussitôt.
• Cette salade est meilleure si elle est consommée tiède, sur des assiettes chaudes.

---

* Vous pouvez vous procurer la moutarde au citron vert dans les épiceries fines ou réalisez notre recette n° 19.

121. Salade au pain

C'est la salade d'été traditionnelle en Toscane. Elle n'est pas aussi simplette qu'il y paraît car il vous faut pour la réussir un très bon pain de campagne, en grosse miche, composé mi-partie de farine de blé complète et de farine blanche.

De plus, la saveur de cette salade étant très vinaigrée, demandez à vos commensaux de s'abstenir de boire du vin qui se trouverait fâcheusement dénaturé.

Pour 6 personnes

300 g (10 oz) de bon pain rassis
3 brins de basilic frais ou 1 c. à café (1 c. à thé) de basilic séché
1 petit oignon
2 tomates
2 oeufs durs
5 c. à soupe (5 c. à table) de vinaigre de vin vieux
Sel et poivre

• Coupez le pain en petits morceaux et arrosez-les d'eau pour bien les imbiber.
• Épluchez l'oignon et hachez-le menu.
• Faites cuire les oeufs dans l'eau bouillante pendant 10 minutes, passez-les sous l'eau froide, écalez-les et broyez-les très grossièrement à la fourchette.
• Lavez les tomates et coupez-les en petits dés avec leurs pépins et leur eau de végétation.
• Essorez les morceaux de pain avec vos mains pour en retirer le plus d'eau possible.
• Si vous utilisez du basilic frais, coupez la moitié des feuilles de basilic aux ciseaux. Dans un saladier, mélangez le pain, les tomates, l'oignon, les oeufs durs et le basilic haché. Salez et poivrez généreusement. Mettez au frais au réfrigérateur pour 2 heures au moins.
• Au moment de servir, aspergez la salade avec le vinaigre. Saupoudrez du reste de basilic et remuez bien.

122. Salade d'oseille et de pommes de terre

Pour 6 personnes

750 g (1 lb 10 oz) de pommes de terre à chair ferme
100 g (3 oz) de feuilles d'oseille (ou d'épinards)
150 ml (2/3 tasse) de vin blanc sec
3 oeufs durs
3 belles tomates
4 c. à soupe (4 c. à table) de mayonnaise au vinaigre de vin et à l'huile d'ara-
chide (recette n° 23)
3 c. à soupe (3 c. à table) de yogourt nature
Sel

• Faites cuire les pommes de terre avec leur peau dans de l'eau bouillante salée. Suivant leur grosseur, il faudra entre 20 et 30 minutes pour
qu'elles soient cuites.
• Égouttez-les, épluchez-les encore chaudes, coupez-les en petits
morceaux et arrosez-les de vin blanc. Couvrez et laissez refroidir.
• Lavez l'oseille, équeutez-la et séchez-la parfaitement. Coupez-la en
lanières.
• Faites cuire les oeufs à l'eau bouillante pendant 10 minutes. Passez-
les sous l'eau froide, écalez-les et coupez-les en quartiers.
• Lavez les tomates, essuyez-les et coupez-les en quartiers.
• Mélangez les cuillerées de yogourt et les cuillerées de mayonnaise.
• Mélangez dans le saladier les pommes de terre, l'oseille et la sauce.
Remuez bien.
• Moulez en dôme sur le plat de service, entourez d'une couronne de
tranches de tomates en alternance avec des oeufs durs.

• **Note:** Si vous redoutez l'acidité de l'oseille, remplacez-la en tout ou en partie
par des feuilles d'épinards jeunes et tendres.

123. Pommes de terre à l'indienne en salade

Pour 6 personnes

750 g (1 lb 10 oz) de pommes de terre à chair ferme
1 oignon doux
1 pomme à chair ferme et juteuse
2 tomates
150 ml (2/3 tasse) de vin blanc sec
8 c. à soupe (8 c. à table) de mayonnaise à l'huile d'arachide et au citron
    (recette n° 23)
1 c. à café (1 c. à thé) de cari en poudre

• Faites cuire les pommes de terre avec leur peau dans l'eau bouillante salée. Suivant leur grosseur, il faudra 20 à 30 minutes.
• Égouttez-les et épluchez-les encore chaudes. Coupez-les en rondelles et arrosez-les du vin blanc. Remuez bien et couvrez pour laisser lentement refroidir.
• Épluchez l'oignon, coupez-le en rondelles fines et détachez les anneaux.
• Préparez la mayonnaise. Incorporez-y le cari en poudre.
• Pelez la pomme, épépinez-la et coupez-la en tranches fines.
• Mélangez-la immédiatement aux pommes de terre, à l'oignon et à la mayonnaise (vous lui éviterez ainsi de noircir au contact de l'air).
• Lavez et essuyez les tomates. Coupez-les en petits dés, jetez les pépins et l'eau de végétation et garnissez-en la salade.
• Servez à la température de la pièce.

124. Salade de pommes de terre à la portugaise

Pour 6 personnes

450 g (15 oz) de filets de morue
300 ml (1 1/4 tasse) de lait
1 gousse d'ail
1 kg (2 lb 3 oz) de pommes de terre

1 poivron vert
3 oignons nouveaux
3 tomates bien fermes

1 pincée d'origan frais ou 1 petite pincée d'origan séché
150 ml (2/3 tasse) de vin blanc

Sauce:

1 tasse à thé (1 tasse) de vinaigrette aillée (recette n° 21)

Pour décorer:

2 oeufs durs
150 g (15 oz) d'olives noires

- Faites dessaler la morue depuis **la veille** en la plaçant sous un filet d'eau qui coulera constamment.
- Faites cuire les pommes de terre dans une grande casserole d'eau bouillante salée. Il faut compter 30 minutes environ. Épluchez-les et coupez-les en rondelles. Arrosez-les, encore chaudes, du vin blanc et remuez bien. Laissez-les en attente dans le saladier couvert.
- Faites pocher la morue dans un mélange d'eau et de lait. Attention à la cuisson, le liquide doit frémir mais en aucun cas, il ne doit bouillir, faute de quoi la morue deviendrait très dure et peu agréable dans l'assiette.
- Coupez en petits dés les poivrons et les tomates épépinées.
- Épluchez les oignons et coupez-les en rondelles, puis détachez les anneaux.
- Faites durcir les oeufs en les plongeant pendant 10 minutes dans l'eau bouillante, puis passez-les sous l'eau froide et écalez-les. Broyez-les grossièrement à la fourchette et laissez-les en attente.
- Faites votre vinaigrette aillée.
- Dans le saladier où sont les pommes de terre, ajoutez la morue émiettée et encore tiède, les tomates et les poivrons en dés ainsi que les anneaux d'oignons plus l'ail écrasé et l'origan. Versez la vinaigrette sur le tout et remuez bien.
- Décorez avec les olives noires et saupoudrez des oeufs durs broyés.

125. Salade de pommes de terre au vinaigre de framboise

Pour 6 personnes

750 g (1 lb 10 oz) de pommes de terre d'une qualité qui reste ferme à la cuisson
225 g (7 1/2 oz) de crème fraîche assez liquide (crème à 12 ou à 15 p. 100)
3 c. à soupe (3 c. à table) de vinaigre de framboise (recette n° 9)
Sel et poivre du moulin

• Faites cuire les pommes de terre dans l'eau bouillante salée. Il faut compter entre 20 et 30 minutes. Tout dépend de la grosseur des légumes.
• Égouttez-les dès qu'elles sont cuites, épluchez-les et coupez-les en rondelles.
• Pendant que les pommes de terre étaient en train de cuire, vous aurez fait la sauce en mélangeant à la fourchette la crème fraîche, le vinaigre, le sel et le poivre du moulin.
• Versez cette sauce sur les rondelles de pommes de terre et servez aussitôt.
• Rien de plus simple que cette salade, rien de meilleur.
• Certaines recettes suggèrent de parsemer la salade de brins de cerfeuil, ou d'un hachis de ciboulette. Pourquoi ne pas essayer?

126. Salade des Balkans

Pour 6 personnes

400 à 500 g (14 oz à 1 lb) de pommes de terre à chair ferme
2 belles betteraves rouges cuites à l'étouffée
3 cornichons à la russe
3 c. à soupe (3 c. à table) de vinaigre de vin
6 c. à soupe (6 c. à table) de yogourt nature
Sel et poivre
1 c. à café (1 c. à thé) de graines de carvi
1/2 botte de cresson

Pour décorer:

Des branchettes d'aneth frais

• Faites cuire les pommes de terre avec leur peau dans une casserole d'eau bouillante salée. Comptez 20 à 30 minutes suivant la grosseur des pommes de terre.
• Égouttez-les et épluchez-les encore chaudes. Coupez-les en rondelles.
• Pendant que les pommes de terre cuisent, pelez les betteraves et coupez-les en dés.
• Coupez en fines rondelles les cornichons à la russe (cornichons malossol).
• Faites la sauce en mélangeant le yogourt, le vinaigre, le sel, le poivre et les graines de carvi.
• Mélangez les pommes de terre, la betterave, le cresson et la sauce dans un saladier. Remuez bien.
• Parsemez des rondelles de cornichons et des feuilles d'aneth. Servez aussitôt, à peine tiède.

127. Salade de deux pommes

Pour 6 personnes

6 pommes de terre moyennes cuites avec leur peau
6 pommes fruits
6 c. à soupe (6 c. à table) de sauce au yogourt (recette n° 29)
2 c. à soupe (2 c. à table) de crème fraîche (crème à 35 p. 100) (facultatif)
1 pincée de poivre de Cayenne
2 c. à soupe (2 c. à table) d'estragon frais haché ou 2 c. à café (2 c. à thé)
  d'estragon séché
Quelques feuilles de salade verte pour décorer

• Préparez la sauce, ajoutez-lui 1 pincée de poivre de Cayenne et la crème, éventuellement.
• Faites cuire les pommes de terre dans l'eau bouillante salée. Il faut compter, suivant la grosseur, de 20 à 30 minutes.
• Épluchez-les encore chaudes et coupez-les en rondelles, dans un saladier.
• Pelez et épépinez les pommes à chair ferme et parfumée. Coupez-les en dés.
• Mélangez-les sans attendre aux pommes de terre et nappez immédiatement de sauce au yogourt. Vous éviterez ainsi que les dés de pommes ne noircissent au contact de l'air.
• Mettez la salade à rafraîchir au réfrigérateur pendant une vingtaine de minutes au moins.
• Préparez des assiettes individuelles sur lesquelles vous placerez des feuilles de salade verte, puis le mélange des deux pommes en salade. Saupoudrez d'estragon haché.

128. Salade de riz et de fruits secs

Pour 6 personnes

150 g (5 oz) de mélange de fruits secs (utilisés pour les apéritifs)
200 g (7 oz) de riz à grains longs
1 c. à soupe (1 c. à table) de ciboulette fraîche hachée ou 1 c. à café
    (1 c. à thé) de ciboulette séchée
1 c. à soupe (1 c. à table) de coriandre fraîche hachée (à défaut de persil) ou
    1 c. à café (1 c. à thé) de coriandre ou de persil séché
1/2 poivron rouge
2 c. à soupe (2 c. à table) de graines de tournesol grillées
8 c. à soupe (8 c. à table) de vinaigrette à l'huile d'olive et au citron (recette
    n° 21)
1 pincée de poudre de noix muscade

- Couvrez les fruits secs lyophilisés d'eau bouillante, recouvrez-les et laissez-les gonfler pendant 1 heure.
- Faites cuire le riz dans de l'eau bouillante salée pendant 18 minutes. Égouttez-le, passez-le sous l'eau froide, égouttez-le encore et éparpillez-le sur un plat pour qu'il sèche bien.
- Ouvrez le poivron rouge en deux, épépinez-le et retirez la membrane blanche. Réservez une des moitiés pour une autre préparation. Coupez la moitié qui reste en petits dés.
- Faites griller les graines de tournesol à sec dans une poêle à revêtement antiadhérent.
- Si vous utilisez des herbes fraîches, hachez la ciboulette et la coriandre. Préparez la vinaigrette. Parfumez-la avec la poudre de noix muscade.
- Égouttez les fruits secs.
- Mélangez tous les ingrédients de la salade dans un saladier et ajoutez la vinaigrette. Remuez bien et laissez macérer une demi-heure à la température de la pièce avant de servir.

129. Salade de riz et d'abricots aux épices

Pour 6 personnes

200 g (7 oz) de riz
1 échalote hachée menu
200 g (7 oz) d'abricots
100 g (3 oz) de raisins secs
50 g (2 oz) de pistaches
2 c. à soupe (2 c. à table) de jus de citron
6 c. à soupe (6 c. à table) d'huile d'olive
Sel et poivre du moulin
1/2 c. à café (1/2 c. à thé) de muscade et de gingembre moulus en poudre
Quelques branches de coriandre fraîche, hachée ou 1 pincée de coriandre séchée (ou persil)

* Faites cuire le riz dans de l'eau bouillante salée et parfumée avec la muscade et le gingembre en poudre.
* Il faut de 15 à 18 minutes selon la qualité du riz.
* Égouttez-le.
* Faites une sauce avec l'échalote hachée, le sel, le poivre, le jus de citron et l'huile d'olive.
* Assaisonnez le riz encore chaud avec cette sauce.
* Faites tremper les raisins secs dans l'eau bouillante pendant 5 minutes. Égouttez-les et ajoutez-les au riz.
* Coupez les abricots en deux, enlevez le noyau et faites-les pocher 5 minutes dans l'eau bouillante. Ajoutez-les aussi au riz. (Si vous vous servez d'abricots séchés, faites-les gonfler dans l'eau toute une nuit à l'avance, puis procédez comme pour les abricots frais).
* Mélangez bien tous les ingrédients de la salade.
* Décorez avec les pistaches décortiquées et la coriandre.

* **Note:** À défaut de coriandre fraîche, employez du persil (ce qui est dommage) ou mieux, pilez des graines de coriandre en poudre très fine et ajoutez-les au mélange.

130. Salade de riz et de petits pois

Pour 6 personnes

200 g (7 oz) de riz à grains longs
500 g (1 lb) de petits pois fins (une fois écossés)
1 branche d'estragon frais ou 1 c. à soupe (1 c. à table) d'estragon séché
1 c. à soupe (1 c. à table) de beurre
1 c. à café (1 c. à thé) de sucre
Sel et poivre
1 poivron rouge
150 g (5 oz) de gruyère coupé en dés

Pour décorer:

Quelques feuilles de salade verte
Une dizaine de cerneaux de noix

Vinaigrette:

4 c. à soupe (4 c. à table) d'huile d'arachide
2 c. à soupe (2 c. à table) d'huile de noix
2 c. à soupe (2 c. à table) de vinaigre de xérès
Sel et poivre

- Faites cuire le riz 15 à 18 minutes (maximum) dans une grande casserole d'eau bouillante salée. Égouttez-le, rincez-le à l'eau très chaude et assaisonnez-le encore chaud avec 3 c. à soupe (3 c. à table) de vinaigrette (ingrédients ci-dessus).
- Mettez dans une casserole environ 75 ml (2 1/2 oz) d'eau, les petits pois, le beurre, l'estragon et le sucre. Salez, poivrez et faites cuire de 10 à 12 minutes à partir du moment où il y a ébullition. Il ne doit pratiquement plus rester d'eau de cuisson. Retirez la branche d'estragon. Mélangez les pois au riz déjà assaisonné.
- Ajoutez le gruyère coupé en petits dés.
- Faites griller le poivron pour pouvoir plus facilement l'éplucher. Ouvrez-le pour enlever les graines et les filaments blancs. Coupez-le en petits morceaux fins et mélangez aussi au riz et aux pois.
- Dans un saladier, placez les feuilles de salade au fond et tout autour des parois. Versez en dôme le mélange riz-pois-poivron-gruyère. Arrosez avec la vinaigrette qui reste.
- Décorez avec les cerneaux de noix.
- Servez à la température de la pièce.

131. Mesclun à l'algérienne

Pour 6 personnes

700 g (1 1/2 lb) de pois chiches en conserve
2 oignons doux
200 g (7 oz) d'olives noires
3 oeufs durs

Sauce:

6 c. à soupe (6 c. à table) d'huile d'olive
2 ou 3 c. à soupe (2 ou 3 c. à table) de jus de citron
Sel et poivre
1 petite c. à soupe (1 petite c. à table) de cumin en poudre

- Rincez et égouttez les pois chiches.
- Épluchez les oignons. Coupez-les en rondelles très fines et détachez les anneaux.
- Faites durcir les oeufs en les plongeant pendant 10 minutes dans l'eau bouillante. Puis passez-les sous l'eau froide, écalez-les et coupez-les en quartiers.
- Faites la sauce en mélangeant au fond du saladier l'huile d'olive, le jus de citron, le sel, le poivre et le cumin en poudre.
- Mélangez dans cette sauce les pois chiches, les anneaux d'oignons et les olives noires.
- Décorez avec les quartiers d'oeufs durs.

132. Salade de topinambours aux noix

Pour 6 personnes

600 g (1 lb 5 oz) de topinambours (ou artichauts de Jérusalem)
1 c. à soupe (1 c. à table) de persil frais haché ou 1 c. à café (1 c. à thé) de persil séché
Une quinzaine de noix
8 c. à soupe (8 c. à table) de sauce au cari (recette n° 25)

- Épluchez les topinambours en les grattant plutôt qu'en les pelant, vous leur conserverez davantage de valeur nutritive.
- Détaillez-les en petits morceaux et faites-les cuire dans de l'eau bouillante salée pendant 12 à 15 minutes.
- Égouttez-les. Laissez-les refroidir dans le saladier de service.
- Si vous utilisez du persil frais, hachez-le. Ouvrez les noix et détachez les cerneaux.
- Ajoutez noix et persil aux légumes. Arrosez de la sauce au cari. Remuez bien et servez aussitôt.

- **Note:** Avec de la viande froide, cette salade peut faire un dîner complet, à condition d'en augmenter un peu les quantités.

153

Salades
de
coquillages,
de crustacés
et
de poissons

Salades de coquillages, de crustacés et de poissons

133. Moules à la mayonnaise
134. Salade de moules au cresson
135. Salade du littoral
136. Salade de fruits de mer
137. Salade de homard et d'artichaut
138. Aïoli
139. Cocktail de poisson
140. Coeur de salade aux crevettes
141. Macédoine de poisson en mayonnaise
142. Omelette marine en salade
143. Salade tiède de poisson
144. Salade de Carthage
145. Bar en salade
146. Harengs marinés en salade
147. Salade du Grand Nord
148. Filets de harengs et épinards en salade
149. Salade d'hiver comme à Lyon
150. Maquereau fumé en salade
151. Salade de lotte ou de baudroie caraïbe
152. Salade de lotte ou de baudroie au paprika
153. Sardines en salade
154. Saumon et concombre en salade
155. Salade de thon et de haricots mi-secs
156. Salade de saumon cru et de fenouil
157. Salade de thon à la menthe
158. Salade créole au thon
159. Fritto misto en salade
160. Salade tahitienne
161. Salade havraise

133. Moules à la mayonnaise

Pour 6 personnes

2 kg (4 1/2 lb) de moules
30 g (2 c. à table) de beurre
1 petit oignon
1 belle tomate bien ferme
1 pomme (reinette ou granny smith)
150 ml (2/3 tasse) de vin blanc sec
1 bouquet de persil frais ou 1 c. à soupe (1 c. à table) de persil séché
1 échalote hachée
1 c. à soupe (1 c. à table) de raisins de Corinthe
3 c. à soupe (3 c. à table) combles de mayonnaise à l'ail (recette n° 26)
1 c. à soupe (1 c. à table) de crème fraîche (crème à 35 p. 100)
1 c. à café (1 c. à thé) de persil frais haché ou 1 pincée de persil séché
1 c. à café (1 c. à thé) de cari

Pour plus de consistance:

Lit de riz
Tranches de tomates et de banane

- Lavez bien les moules et ébarbez-les.
- Mettez dans une casserole le persil, l'échalote hachée et le vin blanc. Portez à ébullition pendant 5 minutes. Ajoutez les moules et faites-les ouvrir, sur feu vif, en remuant tout le temps la casserole.
- Retirez la casserole du feu. Sortez les moules et retirez-les de leurs coquilles. Réservez-les
- Filtrez leur jus de cuisson pour en retirer les débris d'échalote et de persil et surtout le sable que les moules ont libéré en s'ouvrant.
- Remettez le jus de cuisson sur le feu et faites-le réduire jusqu'à ce qu'il n'en reste plus que 4 c. à soupe (4 c. à table).
- Mettez fondre le beurre dans une casserole. Faites-y revenir l'oignon coupé en fines rondelles. Ajoutez les 4 cuillerées de jus de cuisson des moules et le cari. Laissez cuire tout doucement.
- Pendant ce temps, pelez et épépinez la tomate. Pressez-la dans votre main pour en extraire au maximum l'eau de végétation. Coupez-la en morceaux et ajoutez-les dans la casserole.

- Épluchez la pomme, coupez-la en fines tranches et mettez-les aussi à cuire dans la casserole.
- Laissez les raisins tremper 10 minutes dans l'eau très chaude.
- Au bout de ce temps, passez la sauce au mixer pour en amalgamer complètement tous les éléments. Ajoutez les raisins secs bien égouttés.
- Laissez refroidir cette sauce. Puis ajoutez-lui, en fouettant à la fourchette, d'abord la cuillerée de crème fraîche puis les cuillerées de mayonnaise à l'ail. Mélangez-y les moules et gardez au frais, 30 minutes environ, avant de servir. Saupoudrez de persil.

- **Note:** Si vous voulez un plat plus nourrissant, servez cette salade sur un lit de riz entouré de tranches de tomates et de banane.

134. Salade de moules au cresson

Pour 6 personnes

2,5 litres (6 tasses) de moules
1 échalote hachée
1 c. à soupe (1 c. à table) de persil frais haché ou 1 c. à café (1 c. à thé) de
    persil séché
150 ml (2/3 tasse) de vin blanc sec
Sel et poivre
1 botte de cresson

Sauce:

2 c. à soupe (2 c. à table) de crème fraîche (crème à 35 p. 100)
Le jus d'un demi-citron
1 pointe de couteau de safran

Pour décorer:

Rondelles de tomate et de citron

- Lavez bien les moules et ébarbez-les. Jetez celles qui sont déjà ouvertes.
- Dans une casserole, mettez le vin blanc, l'échalote hachée et le persil haché. Salez et poivrez. Portez à ébullition et ajoutez les moules. Faites-les cuire rapidement sur feu vif en remuant tout le temps la casserole.
- Quand les moules sont ouvertes, retirez la casserole du feu et retirez les moules de leurs coquilles. Réservez-les.
- Filtrez leur jus de cuisson pour en enlever les débris d'échalotes et de persil et surtout le sable qu'elles ont libéré en s'ouvrant.
- Épluchez et lavez soigneusement le cresson, dans plusieurs eaux. Séchez-le complètement.
- Disposez le cresson au fond du plat de service.
- Faites chauffer ensemble, dans une casserole, les cuillerées de crème fraîche, le jus du demi-citron, le safran et suffisamment de cuillerées de jus de cuisson des moules pour obtenir une sauce suffisante pour enrober les moules. Goûtez pour saler et poivrer à nouveau si nécessaire.
- Amenez cette sauce à ébullition et laissez-la cuire 1 minute. Ajoutez alors les moules et mélangez bien. Coupez la cuisson et laissez les moules dans la casserole jusqu'à complet refroidissement.
- Versez-les alors avec leur sauce sur les feuilles de cresson.

- **Note:** Vous pouvez décorer votre plat de rondelles de tomate et de citron posées en alternance.

135. Salade du littoral

Pour 6 personnes

6 coquilles Saint-Jacques
150 g (5 oz) de crevettes roses
    décortiquées
6 petits blancs de poireaux
4 c. à soupe (4 c. à table) de
    vin blanc sec
1 petit oignon
2 citrons

8 c. à soupe (8 c. à table) de vinaigrette
    citronnée à l'huile d'olive
1 c. à soupe (1 c. à table) de persil
    frais haché ou 1 c. à café (1 c. à
    thé) de persil séché
1 petit bouquet garni (thym, laurier
    et persil)
Sel et poivre

Quelques feuilles de laitue pour décorer
20 g (1 grosse c. à table) de beurre

• Nettoyez les coquilles Saint-Jacques. Coupez les blancs en tranches fines.

• Mettez dans une casserole le vin blanc, le bouquet garni, l'oignon et le zeste d'un des citrons, ainsi que son jus. Portez à ébullition pendant 10 minutes après avoir salé et poivré. Laissez tiédir ce court-bouillon, puis plongez-y les coquilles Saint-Jacques et laissez-les cuire 2 à 3 minutes.

• Retirez-les avec une écumoire. Mettez les crevettes décortiquées dans le court-bouillon jusqu'à complet refroidissement.

• Épluchez et lavez les blancs de poireaux et faites-les cuire après les avoir coupés en tronçons de 3 à 4 cm (1 à 1 1/2 po). Laissez fondre le beurre dans une casserole à feu doux et faites revenir les tronçons de poireaux. Faites fondre doucement. Vous pouvez les mouiller de 1 ou 2 c. à soupe (1 ou 2 c. à table) de court-bouillon.

• Prélevez le zeste du deuxième citron. Détaillez-le en lanières très fines et faites-les blanchir pendant 10 minutes dans l'eau bouillante. Égouttez-les sur un papier absorbant.

• Tapissez le fond du plat de service avec les feuilles de laitue.

• Disposez les tronçons de poireaux, les crevettes égouttées et les coquilles Saint-Jacques.

• Éparpillez les lanières de zeste de citron. Saupoudrez avec le persil haché et nappez avec la vinaigrette.

• Coupez en tranches fines le citron dont vous avez enlevé le zeste et décorez votre plat avec ces rondelles de citron.

• Laissez cette préparation reposer et s'imprégner de la sauce pendant 1 heure au réfrigérateur avant de la servir.

136. Salade de fruits de mer

Pour 6 personnes

1 kg (2 lb 3 oz) de langoustines
6 coquilles Saint-Jacques
1 litre (4 tasses) de moules
6 crevettes gambas
150 ml (2/3 tasse) de vin blanc sec
Sel et poivre

1 c. à soupe (1 c. à table) de persil frais
haché ou 1 c. à café (1 c. à thé) de
persil séché
1 échalote hachée menu
2 gousses d'ail écrasées

Sauce:

6 c. à soupe (6 c. à table) d'huile de crustacés (recette n° 15)
2 c. à soupe (2 c. à table) de jus de citron
Sel et poivre
1 coeur de laitue pour le décor

• Mettez dans une casserole le vin blanc, l'échalote, le persil, le sel, le poivre et les gousses d'ail écrasées. Faites bouillir 2 ou 3 minutes. Ajoutez les moules grattées et ébarbées et faites-les ouvrir sur feu vif, en remuant constamment la casserole.

• Quand elles sont ouvertes, retirez la casserole du feu. Sortez les moules de leur coquille et réservez-les.

• Filtrez le liquide de cuisson pour en retirer le sable que les moules ont libéré en s'ouvrant.

• Remettez le jus filtré sur le feu. Coupez en deux le blanc des coquilles Saint-Jacques et faites-les pocher (blanc et corail) dans ce liquide frémissant pendant 2 à 3 minutes.

• Procédez de la même façon pour les gambas, puis pour les langoustines. Toutefois, pour ces dernières, vous serez peut-être obligé d'ajouter de l'eau à votre fumet de poisson et le jus d'un demi-citron.

• Décortiquez les langoustines. Laissez les gambas dans leur carapace.

• Prévoyez des assiettes individuelles. Mettez 1 ou 2 feuilles de laitue dans l'assiette. Disposez d'une manière agréable à l'oeil les différents éléments de votre salade. Versez 1 grosse cuillerée à soupe (1 grosse c. à table) de sauce sur chaque assiette.

• Servez bien frais.

137. Salade de homard et d'artichaut

Pour 6 personnes

1 homard de 800 g (1 lb 12 oz) environ
150 ml (2/3 tasse) de vin blanc sec
1 oignon
1 bouquet garni (persil, thym et laurier)
1 carotte coupée en rondelles
1 clou de girofle
Sel et poivre
1 pincée de poivre de Cayenne
3 tranches de jambon cru
8 à 10 artichauts (suivant leur grosseur)
3 carottes
8 c. à soupe (8 c. à table) de vinaigrette à l'huile d'olive et au vinaigre de xérès (recette n° 21)
10 feuilles de menthe fraîche coupées aux ciseaux ou 2 c. à café (2 c. à thé) de menthe séchée
1 coeur de laitue

• Mettez dans un fait-tout l'oignon clouté de girofle, le bouquet garni, la carotte coupée en rondelles, le sel, le poivre et le poivre de Cayenne. Ajoutez le vin blanc sec et 1,5 litre (6 tasses) d'eau au moins. Portez à ébullition et faites cuire pendant 10 minutes.
• Jetez le homard dans le liquide bouillant et faites cuire pendant 10 minutes, en réduisant la cuisson jusqu'à frémissement à partir de 3 minutes.
• Dès que le homard est cuit, sortez-le du court-bouillon, laissez-le refroidir puis décortiquez-le.
• Coupez la chair des queues en rondelles d'égale épaisseur, sortez la chair des pattes et des pinces et coupez-la en petits morceaux.
• Épluchez les artichauts en ne gardant que le fond. Coupez-les en morceaux. Épluchez les carottes et coupez-les en petits bâtonnets.
• Mettez les morceaux d'artichaut dans une casserole d'eau bouillante salée et laissez cuire 7 minutes. Ajoutez alors les petits bâtonnets de carotte et faites bouillir encore 2 minutes.
• Égouttez les légumes.
• Faites la vinaigrette et parfumez-la avec la menthe. Mélangez bien tous

les éléments de la sauce en la battant vigoureusement à la fourchette.
- Coupez le jambon en petits morceaux.
- Épluchez, lavez et essorez soigneusement le coeur de laitue. Disposez les feuilles sur le plat de service.
- Dans un saladier, mélangez les petits légumes, les dés de jambon et la vinaigrette, ainsi que les petits morceaux des pattes et des pinces du homard. Remuez bien et moulez en dôme au centre du plat, sur les feuilles de salade.
- Disposez les rondelles de homard tout autour et servez frais.

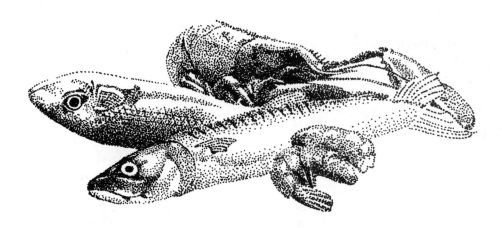

138. Aïoli

Pour 6 personnes

Cette salade qui paraît sur toutes les tables dans le midi méditerranéen, de la plus riche à la plus pauvre, est — en fait — un plat complet.

1 kg (2 lb 3 oz) de filets de morue dessalée
500 g (1 lb) de coquillages bulots
1 oignon
1 branche de thym frais ou 1 c. à café (1 c. à thé) de thym séché
1 feuille de laurier
6 belles pommes de terre
400 g (14 oz) de haricots
3 belles carottes
6 petits artichauts violets
6 oeufs durs
6 belles tomates mûres et fermes
Des olives vertes et noires

Sauce:

4 gousses d'ail pilées
1 jaune d'oeuf
150 ml (2/3 tasse) d'huile d'olive
Le jus d'un citron
Sel et poivre

• Mettez la morue dessalée dans une casserole et couvrez-la d'eau dans laquelle vous ajouterez un oignon pelé et coupé en rondelles, le thym et une feuille de laurier.
• Portez à ébullition mais baissez la cuisson avant que l'eau bouille. La morue doit pocher 5 minutes dans l'eau frémissante (mais jamais bouillante). Au bout de ce temps, coupez la cuisson et laissez la morue dans le liquide qui se refroidit.
• Sortez-la, mettez les bulots cuire à sa place, pendant 5 minutes, dans l'eau également frémissante.
• Pelez les pommes de terre, les carottes et faites-les cuire, entières, à la vapeur.

• Épluchez et lavez les haricots verts et faites-les également cuire à la vapeur.

• Faites cuire les petits artichauts dans l'eau bouillante salée jusqu'à ce qu'une feuille, prise au hasard, se détache facilement. Il faut entre 15 et 20 minutes s'ils sont très jeunes et tendres. Sortez-les et égouttez-les la tête en bas.

• Faites cuire les oeufs 10 minutes dans l'eau bouillante. Passez-les sous l'eau froide. Écalez-les et coupez-les en 2 dans le sens de la longueur.

• Faites la sauce en pilant les gousses d'ail épluchées dans un mortier. Ajoutez le jaune d'oeuf très frais et mélangez bien. Faites couler l'huile en un mince filet et remuez constamment. La sauce épaissit peu à peu. Ajoutez le jus du citron, salez et poivrez.

• Disposez la morue dans le plat de service, entourée des tomates simplement lavées, des oeufs durs coupés, des légumes cuits et des coquillages. Décorez avec les olives.

• Servez la sauce à part.

• **Note:** La liste des légumes entrant dans la présentation de l'aïoli n'est pas limitative. Selon les possibilités du marché vous pouvez inclure des courgettes petites et tendres cuites quelques minutes avec leur peau, des bouquets de chou-fleur, quelques cuillerées de pois chiches, des pointes d'asperges ou des blancs de jeunes poireaux, etc.

139. Cocktail de poisson

Pour 6 personnes

500 à 600 g (1 lb à 1 lb 5 oz) de filets de poissons crus (maquereau, truite, saumon, lotte, sole, plie, baudroie, etc.)
3 pamplemousses
1 avocat
4 ou 5 citrons verts

Sauce:

1 jaune d'oeuf cuit dur
1 c. à café (1 c. à thé) de moutarde à l'estragon
6 grosses tomates
Le jus d'un citron
Sel et poivre
1/2 c. à soupe (1/2 c. à table) d'estragon frais haché ou 1/2 c. à café (1/2 c. thé) d'estragon séché
6 feuilles de salade verte

• Coupez les filets de poissons en tranches fines et posez-les sur un plat creux. Arrosez abondamment du jus des citrons verts. Couvrez et mettez au réfrigérateur pendant 5 à 6 heures jusqu'à ce que la chair des poissons devienne opaque. Retournez les filets dans le jus de citron toutes les heures.
• Faites cuire l'oeuf dans l'eau bouillante pendant 10 minutes. Passez-le sous l'eau froide, écalez-le et réservez le jaune.
• Pelez les tomates en les passant dans l'eau bouillante pendant quelques secondes. Épépinez-les et pressez-les dans vos mains pour en extraire au maximum le jus de végétation. Coupez-les en petits dés.
• Passez les tomates au mixer.
• Écrasez le jaune d'oeuf dans une petite terrine. Mélangez-le à la moutarde pour faire une purée bien amalgamée. Peu à peu ajoutez les tomates mixées comme s'il s'agissait d'huile pour une mayonnaise. Ajoutez le jus de citron et l'estragon haché, salez et poivrez bien.
• Pelez à vif les pamplemousses et enlevez les membranes qui séparent les tranches. Pelez l'avocat, coupez-le en deux, enlevez le noyau et coupez la pulpe en petits dés.
• Mélangez avec précaution les tranches de poissons égouttées, les tranches de pamplemousse et les dés d'avocat.

166

- Mettez une feuille de salade verte dans un verre à dégustation (ou une petite coupe) pour chaque convive. Répartissez la salade dans les verres et nappez de la sauce tomate.
- Servez très frais.

140. Coeur de salade aux crevettes

Pour 6 personnes

2 coeurs de laitue
2 coeurs de fenouil
Quelques feuilles de chicorée de Trévise
300 g (10 oz) de crevettes roses décortiquées
100 g (3 oz) de noisettes décortiquées
3 c. à soupe (3 c. à table) de crème fraîche (crème à 35 p. 100)
2 c. à soupe (2 c. à table) d'huile d'arachide
Le jus d'un demi-citron
Sel et poivre
1 pincée de cumin
2 c. à soupe (2 c. à table) de vinaigre (pour le lavage de la laitue)

- Coupez le coeur des laitues verticalement en tranches et faites-les tremper 10 minutes dans de l'eau froide un peu vinaigrée.
- Égouttez soigneusement.
- Enlevez les premières feuilles des bulbes de fenouil. Essuyez les feuilles qui entourent le coeur, ne les lavez pas, mais coupez-les en tranches fines.
- Lavez les feuilles de trévise, laissez-les égoutter et coupez-les en 2 si elles sont trop grandes.
- Concassez grossièrement les noisettes. Faites-les griller à sec dans une poêle à revêtement antiadhérent jusqu'à ce qu'elles soient dorées.
- Faites la sauce avec la crème fraîche, l'huile, le jus de citron, le sel, le poivre et la pincée de cumin. Fouettez vigoureusement à la fourchette pour obtenir un bon amalgame.
- Disposez le mélange des feuilles de salade dans le plat de service. Posez les crevettes par-dessus et nappez le tout de la sauce. Saupoudrez avec les noisettes grillées et concassées.

141. Macédoine de poisson en mayonnaise

Pour 6 personnes

500 g (1 lb) de poisson blanc (cabillaud, morue, turbot, flétan, colin, aiglefin, etc.)
500 g (1 lb) de crustacés (moules, crevettes roses, noix de coquilles Saint-Jacques, clams, palourdes, etc.)
2 blancs de seiche ou de calmar

Court-bouillon:
1 oignon
1 bouquet garni (thym, laurier et persil)
2 clous de girofle
1 carotte coupée en rondelles
3 c. à soupe (3 c. à table) de vinaigre de vin
150 ml (2/3 tasse) de vin blanc sec
Sel et poivre
1 bol de mayonnaise à l'huile de tournesol et au citron (recette n° 23)
1 bonne pincée de poivre de Cayenne
1 gousse d'ail écrasée
2 c. à soupe (2 c. à table) de fines herbes fraîches (estragon, basilic, sariette, persil, ciboulette, hysope, etc.) ou 2 c. à café (2 c. à thé) de ces herbes séchées
Quelques feuilles de salade verte pour décorer

• Faites un court-bouillon dans un fait-tout en mettant l'oignon coupé en petits morceaux, le bouquet garni, les clous de girofle, la carotte coupée en rondelles, le vinaigre, le vin blanc sec, le sel, le poivre et suffisamment d'eau pour recouvrir le poisson.

• Faites cuire le court-bouillon à forte ébullition pendant 30 minutes. Laissez-le refroidir. Quand il est bien froid, mettez-y le poisson blanc. Amenez doucement à ébullition, laissez frémir 5 minutes et coupez la cuisson. Laissez le poisson jusqu'à complet refroidissement dans le court-bouillon. Sortez-le et égouttez-le.

• Faites repartir l'ébullition, mettez les noix de coquilles Saint-Jacques à pocher (eau frémissante) pendant 3 minutes. Retirez-les.

• Mettez alors les moules pendant 5 minutes. Retirez-les dès qu'elles sont ouvertes (jetez les moules qui ne se sont pas ouvertes). Enlevez celle des valves des moules qui ne contient pas le mollusque.

• Mettez alors cuire les calmars (ou seiches) pendant 5 minutes. Retirez-les et égouttez-les. Coupez-les en lanières fines.

- (Si vous avez des palourdes, des clams ou des crevettes roses, mettez aussi ces fruits de mer à pocher quelques minutes, les uns après les autres dans ce court-bouillon.)
- Assaisonnez la mayonnaise avec le poivre de Cayenne, la gousse d'ail écrasée et les fines herbes hachées. Mettez-la dans un bol que vous placerez au centre du plat de service.
- Disposez les poissons et les crustacés autour, sur un lit de salade verte et servez bien frais.

- **Note:** Il va sans dire que homards, langoustes, huîtres, etc., peuvent entrer dans la composition de cette salade.

---

142. Omelette marine en salade

Pour 6 personnes

300 g (10 oz) de poisson cuit au court-bouillon (ou de thon en conserve au naturel)
4 fonds d'artichaut
5 oeufs
40 g (3 c. à table) de beurre
1 c. à soupe (1 c. à table) de ciboulette fraîche hachée ou 1 c. à café (1 c. à thé) de ciboulette séchée
1 tasse à thé (1 tasse) de coulis de tomate (recette n° 32, 33 ou 34)
Le jus d'un citron

- Faites cuire les artichauts parés à l'eau bouillante salée jusqu'à ce qu'un feuille prise au hasard se détache facilement.
- Effeuillez-les, enlevez le foin, arrosez les fonds de jus de citron et coupez-les en petits dés.
- Battez les oeufs. Faites fondre le beurre dans une poêle et versez-y les oeufs quand il est bien chaud. Cuisez l'omelette jusqu'à ce que les oeufs soient bien pris et secs.
- Laissez refroidir l'omelette et découpez-la en lanières courtes.
- Émiettez le poisson.
- Dans un saladier, mélangez l'omelette, les fonds d'artichaut et le poisson. Saupoudrez de ciboulette. Versez le coulis par-dessus.
- Remuez votre salade avec précaution et longuement. Réservez au frais jusqu'au moment de servir.

143. Salade tiède de poisson

Pour 6 personnes

Les filets de 3 beaux rougets
400 g (14 oz) de lotte, plie ou baudroie (la chair seulement)
300 g (10 oz) de moules
12 huîtres
6 artichauts
2 branches d'estragon frais ou 1 c. à café (1 c. à thé) d'estragon séché
3 jaunes d'oeufs durs
Le jus d'un citron
6 c. à soupe (6 c. à table) d'huile d'arachide (ou de tournesol)
Sel et poivre

Court-bouillon:

1 oignon
1 clou de girofle
1 carotte coupée en rondelles
1 bouquet garni (persil, thym et laurier)
150 ml (2/3 tasse) de vin blanc sec
1,5 litre (6 tasses) d'eau
Sel et poivre

- Dans un fait-tout, faites bouillir ensemble tous les éléments du court-bouillon énumérés ci-dessus.
- Par ailleurs, faites cuire les artichauts dans l'eau bouillante salée. Suivant leur grosseur et leur tendreté, il faudra 20 ou 30 minutes. Enlevez les feuilles et le foin.
- Cuisez les oeufs 10 minutes à l'eau bouillante. Passez-les sous l'eau froide, écalez-les et réservez les jaunes.
- Mettez les moules à sec dans une casserole et portez à feu vif pour qu'elles s'ouvrent. Remuez constamment la casserole. Décortiquez les moules ouvertes (jetez celles qui n'ont pas pu s'ouvrir). Réservez les moules.
- Ouvrez les huîtres. Décollez la chair avec précaution.
- Coupez la lotte ou la baudroie en tranches d'égale épaisseur, levez les filets de rougets (si ce n'est déjà fait par le poissonnier).

- Faites cuire vos poissons dans le court-bouillon frémissant (mais non bouillant à gros bouillons). Laissez les poissons dans le court-bouillon pendant 4 à 5 minutes, au plus.
- Pendant la cuisson des poissons, préparez la sauce: écrasez les jaunes d'oeufs à la fourchette dans un bol et mouillez avec le jus du citron. Ajoutez l'huile petit à petit en filet sans cesser de remuer avec la fourchette. Salez et poivrez.
- Quand les poissons sont cuits, arrêtez la chaleur sous le court-bouillon et plongez dedans (pour les réchauffer, et non pour les cuire) les fonds d'artichaut, les moules et les huîtres.
- Quand tout est chaud, égouttez très soigneusement.
- Répartissez dans l'assiette de chaque convive un fond d'artichaut, 50 g (1/4 tasse) de moules, la moitié d'un filet de rouget, une tranche de lotte et 2 huîtres.
- Nappez chaque assiette avec la sauce au jaune d'oeuf.
- Saupoudrez d'estragon.

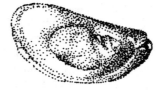

144. Salade de Carthage

Pour 6 personnes

6 calmars
6 coquilles Saint-Jacques
18 belles moules
300 g (10 oz) de crevettes "bouquet" (pesées une fois décortiquées)
250 g (1/2 lb) de chair de homard
1 gousse d'ail écrasée
4 c. à soupe (4 c. à table) d'huile d'olive
2 c. à soupe (2 c. à table) de jus de citron
1 c. à soupe (1 c. à table) de persil frais haché ou 1 c. à café (1 c. à thé) de persil séché
Sel et poivre

Pour décorer:

Des rondelles de citron

* Nettoyez les calmars et coupez en petites lanières minces.
* Faites cuire les coquilles Saint-Jacques dans de l'eau bouillante pendant 2 à 3 minutes, après avoir coupé en deux les blancs.
* Retirez-les.
* Dans cette eau, faites cuire successivement les calmars pendant 15 minutes, retirez-les, puis mettez à cuire les moules pendant 5 minutes jusqu'à ce qu'elles soient ouvertes.
* Enlevez les moules de leur coquille.
* Écrasez la gousse d'ail. Mettez-la dans un saladier. Versez l'huile par-dessus, en filet, en remuant constamment, puis incorporez le jus de citron, puis le persil. Salez et poivrez généreusement. Versez les coquillages, le homard, les crevettes et les calmars dans la sauce. Remuez bien.
* Couvrez et laissez au réfrigérateur pendant 30 minutes au moins.
* Décorez avec les rondelles de citron.

145. Bar en salade

Pour 6 personnes
400 g (14 oz) de filet de bar
1 échalote hachée menu
2 c. à soupe (2 c. à table) d'huile d'olive
2 c. à soupe (2 c. à table) d'huile d'arachide
1/2 c. à café (1/2 c. à thé) de poivre vert en grains
6 fonds d'artichaut
1/2 c. à café (1/2 c. à thé) de gingembre en poudre
Le jus et le zeste d'un citron
6 c. à soupe (6 c. à table) d'airelles (canneberges) fraîches ou en conserve "au
    naturel"
200 g (7 oz) de mesclun (pourpier, raiponce, roquette, boursette, pimprenelle ou
    une partie de ces herbes seulement)
Sel et poivre

- Détaillez le filet de bar en tranches très, très fines. Mettez-les dans un plat creux, recouvrez-les de sel, de poivre, de poivre vert en grains, d'échalote hachée menu et des deux huiles (1 c. à soupe (1 c. à table) de chaque).
- Laissez mariner au moins 15 minutes.
- Pelez le citron, détaillez le zeste en toutes petites lanières et faites-les bouillir 5 minutes dans un peu d'eau. Égouttez-les et passez-les sous l'eau froide. Laissez sécher.
- Pressez la moitié du citron et assaisonnez le jus avec la 1/2 c. à café (1/2 c. à thé) de gingembre en poudre.
- Faites cuire les artichauts à l'eau bouillante salée. Enlevez les feuilles et le foin et arrosez les fonds avec le jus de citron au gingembre et le reste des huiles.
- Dans le plat de service, mettez un lit de mesclun. Arrosez-le du jus du demi-citron qui reste et salez légèrement.
- Sortez le poisson de sa marinade et passez-la.
- Mettez une cuillerée d'airelles (canneberges) dans chaque fond d'artichaut.
- Disposez les tranches de poisson et les artichauts sur le mesclun. Éparpillez les petits morceaux de zeste de citron par-dessus et arrosez de la marinade.
- Laissez reposer 15 minutes au réfrigérateur avant de servir.

146. Harengs marinés en salade

Pour 6 personnes

6 beaux filets de harengs marinés
1 kg (2 lb 3 oz) de pommes de terre
2 échalotes
1 petite betterave rouge
150 ml (2/3 tasse) de vin blanc sec
1/2 tasse à thé (1/2 tasse) de vinaigrette (recette n° 21)

Marinade des harengs:

0,3 litre (1 1/3 tasse) de lait
1 oignon
1 carotte
1 branche de thym frais ou 1 c. à soupe (1 c. à table) de thym séché
1 ou 2 feuilles de laurier
1/2 c. à café (1/2 c. à thé) de poivre en grains
Huile d'arachide en quantité suffisante

- Préparez les harengs **5 ou 6 jours à l'avance.**
- Mettez-les à tremper dans le lait pendant 24 heures. Séchez-les soigneusement.
- Dans une terrine (de préférence en verre pyrex, car, si vous utilisez une terrine de grès, elles restera imprégnée de l'odeur des harengs et de la marinade et vous ne pourrez plus l'employer à autre chose), donc, dans une terrine en verre pyrex, intercalez les rondelles d'oignon, les rondelles de carotte, le thym émietté, les feuilles de laurier concassées en tout petits fragments et les filets de hareng. Saupoudrez de poivre en grains et arrosez d'huile jusqu'à ce que les filets de harengs soient recouverts.
- Laissez macérer au moins **48 heures**, au réfrigérateur.
- Faites cuire les pommes de terre avec leur peau, dans l'eau bouillante salée. Elles sont cuites quand vous pouvez facilement les piquer avec une fourchette. Il faut compter environ 30 minutes. Épluchez-les aussitôt, coupez-les en rondelles et arrosez-les de vin blanc.
- Épluchez les échalotes et hachez-les très menu. Ajoutez-les aux pommes de terre et mélangez.

- Épluchez la betterave et coupez-la en dés; ajoutez-la aussi aux pommes de terre.
- Sortez les harengs de la marinade. Égouttez-les sur un papier absorbant. Coupez-les en petits morceaux. Ajoutez-les aux pommes de terre et versez la vinaigrette par-dessus. Remuez bien.
- Il est préférable d'effectuer toutes ces opérations rapidement, cette salade est plus savoureuse si elle est servie quand les pommes de terre sont encore tièdes.
- **Note:** Je vous conseille de faire mariner une bonne quantité de harengs en filets en une seule fois et de ne retirer que ce dont vous avez besoin pour faire votre recette.

147. Salade du Grand Nord

Pour 6 personnes

4 ou 5 belles pommes granny smith
1 laitue batavia
350 g (12 oz) de crème fraîche (crème à 35 p. 100)
2 oignons rouges
1 beau concombre
6 harengs marinés (rollmops)
3 oeufs
Quelques pickles
Le jus d'un demi-citron
Sel et poivre

- Épluchez, lavez et égouttez la salade. Mettez-la au frais.
- Épluchez les pommes, les oignons et le concombre et coupez-les en rondelles très fines.
- Faites cuire les oeufs jusqu'à ce qu'ils soient durs. Cassez la coquille et plongez-les dans l'eau froide. Écalez-les.
- Faites une sauce avec la crème fraîche, le jus de citron, le sel et le poivre.
- Coupez les harengs marinés en petits tronçons.
- Dans le plat de service, disposez harmonieusement les rollmops, les rondelles de pomme, de concombre et d'oignon, ainsi que les oeufs durs coupés en quartiers.
- Parsemez de pickles.
- Servez la sauce à part.

148. Filets de harengs et épinards en salade

Pour 6 personnes

500 g (1 lb) de filets de harengs fumés
24 feuilles d'épinards jeunes et tendres
6 feuilles d'oseille
1 c. à soupe (1 c. à table) de persil frais haché ou 1 c. à café (1 c. à thé) de persil séché
1 c. à soupe (1 c. à table) de ciboulette fraîche hachée ou 1 c. à café (1 c. à thé) de ciboulette séchée
8 c. à soupe (8 c. à table) de sauce à la crème (recette n° 28)

Pour décorer:

1/2 oignon doux coupé en rondelles
1/2 citron coupé en rondelles

- Lavez et équeutez l'oseille et les épinards. Coupez-les en lanières.
- Égouttez les filets de harengs de leur marinade. Coupez-les en lanières en enlevant le plus possible d'arêtes.
- Mélangez dans une jatte les épinards, l'oseille et les filets de harengs. Ajoutez le persil et la ciboulette hachés.
- Versez la sauce à la crème sur ce mélange et remuez bien.
- Coupez la moitié de l'oignon en rondelles très fines et détachez les anneaux.
- Coupez aussi le citron en très fines rondelles.
- Placez la salade dans le plat de service. Répartissez les anneaux d'oignon dessus et les rondelles de citron autour.

149. Salade d'hiver comme à Lyon

Pour 6 personnes

1 tête de chicorée frisée
1 tête de chicorée de Trévise
1 grosse endive
2 filets de hareng mariné (rollmops)
8 c. à soupe (8 c. à table) de vinaigrette à l'huile d'arachide et au vinaigre de
vin (recette n° 21)
50 g (2 oz) de petits croûtons frits au beurre (facultatif)

• Épluchez, lavez et essorez soigneusement la chicorée frisée et la chicorée de Trévise.
• Coupez-les en morceaux.
• Enlevez les premières feuilles de l'endive et essuyez-la bien.
• Creusez le pied en son centre pour enlever cette partie qui est souvent amère. Coupez l'endive en rondelles minces.
• Dans le fond du saladier, écrasez soigneusement à la fourchette les filets de hareng mariné, bien égouttés. Mélangez peu à peu à cette purée la vinaigrette que vous aurez préparée par ailleurs.
• Posez votre mélange de salades sur cette sauce et remuez au moins 10 minutes avant de servir.
• Vous pouvez décorer avec de petits croûtons de pain frits au beurre.

• **Note:** Pour rendre cette salade plus nourrissante, vous pouvez lui adjoindre 1 ou 2 oeufs durs broyés grossièrement à la fourchette.

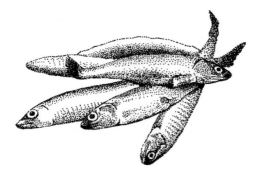

150. Maquereau fumé en salade

Pour 6 personnes

2 larges filets de maquereau ou de hareng fumé et poivré ou de tout autre poisson du même type
150 à 200 g (5 à 7 oz) de riz
600 g (1 lb 5 oz) de haricots verts bien fins
4 oeufs durs coupés en quartiers
8 c. à soupe (8 c. à table) de sauce à la crème (recette n° 28)
Quelques feuilles de laitue ou de romaine pour le décor

• Faites cuire le riz pendant 18 minutes dans l'eau bouillante salée. Lavez-le à l'eau froide, égouttez-le et éparpillez-le sur un plat pour qu'il sèche mieux et plus vite.

• Faites cuire les haricots verts épluchés pendant 10 minutes à la vapeur. Coupez-les en petits tronçons.

• Faites cuire les oeufs 10 minutes à l'eau bouillante. Passez-les sous l'eau froide, écalez-les et coupez-les en quartiers.

• Coupez les filets de poisson en tranches fines.

• Mélangez les haricots verts et le riz.

• Faites un lit de feuilles de salade verte dans le plat de service. Moulez en dôme le mélange de riz et de haricots verts. Disposez les tranches de poisson fumé autour.

• Décorez avec les quartiers d'oeufs durs.

• Servez la sauce à la crème à part.

151. Salade de lotte ou de baudroie caraïbe

Pour 6 personnes

600 à 700 g (1 lb 5 oz à 1 1/2 lb) de lotte, de plie ou de baudroie en un seul morceau
1 oignon
Le jus d'un citron et le zeste
1 avocat
1 mangue
3 fruits de la Passion
3 kiwis
3 tomates
Sel et poivre
Vinaigrette à l'huile d'olive et au citron (recette n° 21)
1 pincée de poivre de Cayenne

- Mettez la lotte dans une casserole et couvrez-la juste d'eau froide. Salez, poivrez bien, ajoutez l'oignon épluché et coupé en petits morceaux et le zeste du citron.
- Mettez sur le feu et baissez la cuisson au moment où le liquide est prêt à bouillir. Laissez frémir pendant 10 minutes, puis arrêtez la cuisson. Laissez le poisson dans ce court-bouillon jusqu'à complet refroidissement.
- Égouttez le poisson et coupez la chair en petites tranches.
- Pelez les tomates en les plongeant quelques secondes dans l'eau bouillante. Épépinez-les et coupez la pulpe en dés.
- Mettez la pincée de poivre de Cayenne dans 6 c. à soupe (6 c. à table) de vinaigrette à l'huile d'olive et au citron.
- Mélangez la lotte ou la baudroie et les dés de tomates dans cette vinaigrette.
- Placez cette salade au milieu du plat de service.
- Garnissez tout autour avec des tranches des fruits exotiques crus, pelés et arrosés du jus du citron (dont vous avez pris le zeste pour faire cuire le poisson).
- Servez frais.

152. Salade de lotte ou de baudroie au paprika

Pour 6 personnes

600 à 700 g (1 lb 5 oz à 1 1/2 lb) de chair de lotte, de plie ou de baudroie
2 c. à soupe (2 c. à table) de vinaigre de vin
3 branches de persil frais ou 3 c. à soupe (3 c. à table) de persil séché
3 avocats
1 pamplemousse
2 c. à soupe (2 c. à table) de raisins secs
2 c. à soupe (2 c. à table) de cognac
Le jus d'un citron
1 tasse de mayonnaise à l'huile d'olive et au citron (recette n° 23)
1/2 c. à café (1/2 c. à thé) de paprika
1 oignon
Sel et poivre

- Mettez dans une casserole la lotte ou la baudroie, le persil, l'oignon épluché et coupé en rondelles, le vinaigre, salez et poivrez. Couvrez d'eau et amenez à ébullition.
- Baissez la cuisson au moment où le liquide est prêt à bouillir et laissez frémir pendant 5 minutes, puis stoppez la cuisson et laissez le poisson dans le court-bouillon jusqu'à complet refroidissement.
- Égouttez-le alors sur un papier absorbant et coupez-le en dés.
- Faites gonfler les raisins secs pendant 15 minutes dans le cognac.
- Ouvrez les avocats, enlevez la pulpe et détaillez-la en tranches fines que vous arroserez immédiatement de jus de citron pour qu'elles ne noircissent pas.
- Disposez-les en couronne tout autour du plat de service.
- Pelez le pamplemousse à vif et enlevez les membranes blanches qui séparent les tranches.
- Faites la mayonnaise. Parfumez-la avec le paprika.
- Dans une petite terrine, mélangez les dés de lotte ou de baudroie, les tranches de pamplemousse, les raisins et leur cognac ainsi que la mayonnaise.
- Moulez ce mélange en dôme au milieu des avocats.
- Servez bien frais.

153. Sardines en salade

Pour 6 personnes

6 sardines à l'huile
500 g (1 lb) de tomates bien mûres et fermes
1/2 oignon doux
1/2 tasse à thé (1/2 tasse) de vinaigrette à l'huile d'olive et au citron (recette n° 21)
1 c. à soupe (1 c. à table) de persil ou d'estragon frais haché ou 1 c. à café (1 c. à thé) de persil ou d'estragon séché
1 oeuf dur
1 citron coupé en 6

- Lavez les tomates, coupez-les en rondelles et disposez-les sur le plat de service.
- Épluchez l'oignon et coupez-le par la moitié. Découpez cette moitié en rondelles puis détachez les anneaux. Répartissez-les sur les tomates.
- Faites cuire l'oeuf en le laissant 10 minutes dans une casserole d'eau bouillante. Passez-le sous l'eau froide, écalez-le et broyez-le grossièrement (jaune et blanc) à la fourchette. Mélangez-le au persil haché.
- Faites la vinaigrette. Nappez-en le mélange tomates-oignons.
- Égouttez les sardines de leur huile. Disposez-les en étoile sur le lit d'oignons et de tomates.
- Saupoudrez le tout du hachis d'oeuf et de persil.
- Décorez avec les quartiers de citron qui serviront à aciduler les sardines, les rendant ainsi plus faciles à digérer.

- **Note:** Vous pouvez disposer les tomates sur des feuilles d'épinards faisant ainsi un contraste très agréable à l'oeil.

154. Saumon et concombre en salade

Pour 6 personnes

6 tranches fines de saumon fumé
1 beau concombre
Sel
50 ml (1/4 tasse) de yogourt au naturel
1 c. à soupe (1 c. à table) de crème (crème à 35 p. 100)
Le jus d'un demi-citron
Poivre
2 c. à soupe (2 c. à table) d'aneth frais haché (à défaut de plumet de fenouil) ou 2 c. à café (2 c. à thé) d'aneth ou de fenouil séché
2 citrons coupés en quartiers

• Pelez le concombre. Coupez-le en tranches très fines. Mettez-le dans une passoire et saupoudrez-le de sel. Laissez-le dégorger pendant 30 minutes.

• Passez-le sous l'eau froide pour enlever l'excès de sel et laissez-le bien égoutter, puis finissez de le sécher en l'épongeant avec un papier absorbant.

• Préparez la sauce en mélangeant vigoureusement ensemble la moitié du yogourt, la crème fraîche, le jus de la moitié d'un citron, le poivre (pas de sel, le concombre reste bien salé) et l'aneth haché.

• Disposez les rondelles de concombre en couronne dans un plat de service. Nappez-le de la sauce.

• Chiffonnez les tranches de saumon au milieu.

• Décorez avec des quartiers de citron qui vous serviront à arroser les tranches de saumon.

155. Salade de thon et de haricots mi-secs

Pour 6 personnes

Cette salade pourrait s'appeler salade de septembre puisque c'est le moment où il est possible de trouver des haricots mi-secs dans les marchés.

250 g (8 oz) de haricots mi-secs (une fois écossés)
4 ou 5 tomates
1 échalote hachée menu
2 c. à soupe (2 c. à table) de persil frais haché ou 2 c. à café (2 c. à thé) de persil séché
1 coeur de laitue
225 g (7 1/2 oz) de thon au naturel en conserve
50 g (2 oz) d'olives noires
6 c. à soupe (6 c. à table) de mayonnaise aux câpres et aux cornichons (recette n° 27)

- Écossez les haricots et faites-les cuire dans de l'eau bouillante salée pendant une petite heure. Il faut qu'ils soient tendres mais pas en bouillie.
- Égouttez-les et passez-les sous l'eau froide pour les raffermir. Laissez-les égoutter.
- Lavez, épluchez et essorez soigneusement le coeur de laitue.
- Tapissez le saladier avec les feuilles de salade verte.
- Lavez les tomates et coupez-les en rondelles.
- Hachez menu l'échalote. Mettez-la dans la mayonnaise, ainsi que le persil haché.
- Émiettez le thon sur les tranches de tomates.
- Répartissez les haricots par-dessus. Mélangez tomates, haricots, thon et mayonnaise assaisonnée de l'échalote et du persil. Remuez bien.
- Renversez ce mélange sur les feuilles de salade verte. Décorez avec les olives noires.
- Servez le mélange à température ambiante, ni tiède, ni trop frais.

156. Salade de saumon cru et de fenouil

Pour 6 personnes

600 à 700 g (1 lb 5 oz à 1 1/2 lb) de saumon cru
3 coeurs de fenouil

Marinade:

2 c. à soupe (2 c. à table) de sel de mer
2 c. à soupe (2 c. à table) de sucre en poudre
4 tours de moulin à poivre
2 c. à soupe (2 c. à table) d'aneth haché
Le jus d'un citron
3 c. à soupe (3 c. à table) de vinaigrette au citron (recette n° 21)

Sauce:

2 c. à soupe (2 c. à table) de crème fraîche épaisse (crème à 35 p. 100)
4 c. à soupe (4 c. à table) d'huile d'arachide (ou de tournesol)
2 c. à soupe (2 c. à table) de jus de citron
1 c. à soupe (1 c. à table) de moutarde à l'estragon
1 c. à café (1 c. à thé) de sucre en poudre
2 c. à soupe (2 c. à table) d'aneth frais haché ou 2 c. à café (2 c. à thé) d'aneth séché

- Préparez cette salade **3 jours à l'avance.**
- Mélangez le jus de citron, le sel, le poivre, le sucre en poudre et l'aneth haché.
- Mettez la moitié de ce mélange dans un plat. Posez le saumon dessus et recouvrez-le avec le reste du mélange. Couvrez le plat et laissez mariner le poisson pendant 3 jours au réfrigérateur en le retournant tous les jours.
- Épluchez le fenouil. Ne gardez que les coeurs que vous couperez en fines lamelles et que vous assaisonnerez avec les 3 cuillerées de vinaigrette au citron. Préparez le fenouil au moins **1 heure à l'avance** pour qu'il s'imprègne bien de la vinaigrette.
- Préparez la sauce du poisson en battant vigoureusement ensemble tous les éléments énumérés ci-dessus.
- Sortez le poisson de sa marinade. Essuyez-le. Retirez la peau du poisson et coupez-le en lanières de 3 mm (1/8 po) de large.

- Disposez les tranchettes de saumon au milieu du plat de service. Nappez-les de la sauce à l'aneth.
- Répartissez le fenouil de part et d'autre du poisson.
- Servez bien frais, accompagné de pain de seigle.

---

157. Salade de thon à la menthe

Pour 6 personnes

1 laitue batavia
250 g (8 oz) de thon au naturel en conserve
1 pamplemousse
3 tomates bien charnues
15 feuilles de menthe fraîche

Sauce:

4 c. à soupe (4 c. à table) d'huile d'olive
1 c. à café (1 c. à thé) de moutarde au citron vert
Le jus d'un citron
Sel et poivre

- Épluchez, lavez et essorez soigneusement la batavia.
- Pelez le pamplemousse à vif, séparez les quartiers et enlevez la membrane. Essayez toutefois de conserver les quartiers entiers pendant cette opération.
- Émiettez le thon.
- Coupez les tomates, lavées, en grosses tranches.
- Préparez la sauce au fond du saladier en remuant vigoureusement à la cuillère de bois.
- Coupez les feuilles de batavia en lanières pour en faire une chiffonnade.
- Mélangez tous les ingrédients de cette salade à la sauce, dans le saladier.
- Parsemez des feuilles de menthe hachées très grossièrement.

158. Salade créole au thon

Pour 6 personnes

225 g (7 1/2 oz) de thon au naturel en conserve
150 g (5 oz) de riz
2 bananes vertes appelées aussi plantains
1 petit ananas
1 pamplemousse rose
3 oeufs durs
1 1/2 c. à soupe (1 1/2 c. à table) de paprika doux
1 pincée de poivre de Cayenne
1 tasse à thé (1 tasse) de vinaigrette faite avec de l'huile au curcuma et au
    poivre (recette n°14) et de jus de citron

• Faites cuire le riz 18 minutes dans l'eau bouillante salée, assaisonnée du paprika doux.
• Faites cuire les oeufs durs dans l'eau bouillante pendant 10 minutes, passez-les sous l'eau froide, écalez-les et coupez-les en quartiers.
• Ajoutez 1 pincée de poivre de Cayenne à la vinaigrette et battez fortement à la fourchette pour que le mélange se fasse bien.
• Pelez les bananes, coupez-les en rondelles et aspergez-les de 1 c. à soupe (1 c. à table) de vinaigrette. Remuez bien.
• Épluchez l'ananas et coupez les tranches en petits dés, après en avoir enlevé le coeur qui est dur et ligneux.
• Pelez à vif le pamplemousse et enlevez les membranes blanches qui séparent les tranches.
• Passez le riz cuit sous l'eau froide et laissez-le bien égoutter. Éparpillez-le sur un grand plat pour qu'il sèche plus vite.
• Au fond du saladier préparez la vinaigrette. Mélangez le riz, les dés d'ananas, les tranches de bananes vertes (plantains) et le thon émietté. Versez ce mélange sur la vinaigrette et remuez bien.
• Décorez avec les tranches de pamplemousse et les quartiers d'oeufs durs.

• **Note:** Si vous n'avez pas d'enfant parmi les convives, vous pouvez ajouter à la sauce 1 c. à café (1 c. à thé) de bon rhum agricole.

159. Fritto misto en salade

Pour 6 personnes

250 g (1/2 lb) de riz à grains longs
1 filet de haddock
4 oeufs
2 c. à soupe (2 c. à table) de fines herbes fraîches hachées ou 2 c. à café
    (2 c. à thé) de fines herbes séchées (persil, ciboulette, estragon, etc.)
150 g (5 oz) de champignons rosés (ou de Paris)
6 c. à soupe (6 c. à table) d'huile d'olive (ou moitié huile d'arachide et moitié
    huile d'olive)
4 c. à soupe (4 c. à table) de jus de citron
Sel et poivre

• Faites cuire le riz dans une grande casserole d'eau bouillante salée. Goûtez-le au bout de 15 minutes, s'il n'est pas assez cuit, laissez-le encore 2 ou 3 minutes (c'est le maximum). Égouttez-le et rincez-le sous l'eau froide. Laissez-le bien sécher en l'étalant sur un grand plat.
• Battez les oeufs en omelette. Salez et poivrez. Ajoutez les fines herbes. Faites cuire l'omelette si possible sans matières grasses dans une poêle à revêtement antiadhérent. L'omelette doit être bien cuite et sèche. Détaillez-la en fines lanières.
• Essuyez les champignons rosés et coupez leur pied sableux. Détaillez-les en fines lamelles et arrosez-les immédiatement de jus de citron pour qu'ils ne noircissent pas.
• Faites la sauce avec l'huile d'olive, le jus de citron qui reste, le sel (très peu le haddock étant naturellement salé) et le poivre.
• Coupez le haddock en très fines tranches, presque transparentes.
• Mélangez dans un saladier le riz, le haddock, l'omelette et les champignons. Arrosez de la vinaigrette. Remuez bien.

• **Note:** Cette salade, très nourrissante, peut être suffisante pour un dîner familial avec du fromage et un dessert.

160. Salade tahitienne

Pour 6 personnes

4 ou 6 filets de truite saumonée (selon leur grosseur)
1 coeur de scarole
2 avocats
1 noix de coco
3 citrons
1 branche d'aneth frais

Sauce:

6 c. à soupe (6 c. à table) d'huile d'arachide
2 c. à soupe (2 c. à table) de vinaigre de framboise
Sel et poivre

- Commencez de préparer cette salade **6 heures à l'avance.**
- Coupez les filets de truite en tranches très fines mais larges. Pressez 2 citrons et ouvrez la noix de coco. Mélangez le jus des citrons et le lait de coco. Salez et poivrez.
- Mettez les tranches de truite dans un plat à couvercle. Recouvrez-les du mélange citron-lait de coco et laissez mariner au réfrigérateur pendant 6 heures au moins, en retournant les tranches dans la marinade toutes les heures.
- Râpez la chair de la noix de coco.
- Épluchez et lavez la salade à grande eau. Essorez-la soigneusement.
- Préparez la vinaigrette.
- Épluchez les avocats, ouvrez-les en 2 et coupez-les en lamelles. Arrosez-les immédiatement avec le jus du citron qui reste pour qu'ils ne noircissent pas.
- Égouttez les tranches de poisson.
- Disposez dans l'assiette, pour chaque convive, la salade ainsi que les tranches de truite et d'avocat. Saupoudrez de noix de coco râpée et arrosez avec la vinaigrette. Décorez chaque assiette avec un brin d'aneth. Servez bien frais.

161. Salade havraise

Pour 6 personnes

3 pommes de reinette
300 g (10 oz) de salade de mâche
1 belle salade frisée
225 g (7 1/2 oz) de poitrine de porc maigre et fumée
450 g (15 oz) de filet de haddock fumé
450 g (15 oz) de bigorneaux
110 ml (env. 1/2 tasse) d'huile d'olive
2 c. à soupe (2 c. à table) d'huile de tournesol
1 c. à soupe rase (1 c. à table rase) de moutarde forte
3 c. à soupe (3 c. à table) de vinaigre de xérès
150 ml (env. 2/3 tasse) de lait
Sel et poivre

• Frottez les bigorneaux sous l'eau et faites-les cuire à l'eau salée et poivrée pendant 10 minutes environ. Décortiquez-les.
• Faites pocher pendant 15 minutes le haddock dans le lait additionné d'eau en quantité suffisante pour qu'il soit entièrement recouvert.
• Lavez les deux salades. Faites-les égoutter et laissez-les en attente.
• Faites une sauce avec la moutarde, le vinaigre de xérès, l'huile d'olive et le poivre. Salez très peu (le haddock peut rester salé malgré la cuisson au lait).
• Coupez le lard de poitrine en petits dés. Faites-les fondre à la poêle graissée avec l'huile de tournesol. Laissez-les rendre leur graisse dont vous jetterez une partie. Faites-les ensuite frire et dorer.
• Épluchez les pommes et coupez-les en dés. Mélangez-les rapidement aux bigorneaux, aux deux salades, au filet de haddock coupé en petits dés et à la vinaigrette.
• Jetez les lardons brûlants sur cette salade et servez aussitôt.

Salades d'abats
et de charcuteries

Salades d'abats et de charcuteries

162. Foies gras en salade
163. Salade de foies de volaille aux pois gourmands
164. Salade de foies de volaille et d'épinards
165. Ris de veau en salade
166. Cervelles de veau en vinaigrette
167. Cervelles de mouton en salade
168. Salade de cervelles d'agneau à l'orange
169. Langue de veau en salade de légumes
170. "Saladier" ou salade lyonnaise
171. Pieds de mouton en salade
172. Gras-double en salade
173. Salade alsacienne
174. Salade de jambon et de fonds d'artichaut
175. Figues fraîches et jambon de Parme en vinaigrette
176. Saucisson à la salade de choucroute
177. Salade de cervelas comme à Lyon

162. Foies gras en salade

Pour 6 personnes

200 g (7 oz) de foie gras mi-cuit
200 g (7 oz) de foie gras cru
2 tranches de pain de campagne
150 g (5 oz) de haricots verts très fins
150 g (5 oz) de chanterelles
150 g (5 oz) de pointes (seulement) d'asperges
1 coeur de laitue
1 c. à soupe (1 c. à table) de farine
50 g (1/4 tasse) de farine
6 c. à soupe (6 c. à table) de vinaigrette à l'huile de noisette (recette n° 21) et au vinaigre de framboise (recette n° 9)

- Épluchez les haricots. Faites-les cuire 10 minutes à la vapeur.
- Faites cuire de la même façon les pointes d'asperges.
- Nettoyez très soigneusement les chanterelles et passez-les 10 minutes à sec dans une poêle à revêtement antiadhérent, à feu moyen.
- Épluchez, lavez et essorez soigneusement le coeur de laitue.
- Faites griller les tranches de pain et coupez-les en petits morceaux.
- Coupez le foie gras cru en 6 petites escalopes. Farinez-les.
- Disposez les feuilles de laitue dans chaque assiette individuelle. Répartissez les haricots et les pointes d'asperges sur chaque assiette. Posez un morceau de foie gras mi-cuit sur les légumes.
- Faites fondre le beurre à la poêle et faites revenir quelques secondes de chaque côté les petites escalopes de foie gras cru. Elles doivent prendre couleur mais rester très moelleuses à l'intérieur.
- Mettez une escalope par assiette. Ajoutez les champignons.
- Dans le beurre resté dans la poêle, réchauffez les croûtons de pain et faites-les s'imbiber du jus de cuisson du foie gras cuit.
- Répartissez-les dans chaque assiette.
- Aspergez plus particulièrement les légumes avec la vinaigrette et servez aussitôt, quand le foie est encore un peu tiède.

163. Salade de foies de volaille aux pois gourmands

Pour 6 personnes

5 ou 6 foies de volaille (selon leur grosseur)
30 g (2 c. à table) de beurre
500 g (1 lb) de pois gourmands

Sauce:

6 c. à soupe (6 c. à table) d'huile d'olive
2 c. à soupe (2 c. à table) de jus de citron
Sel et poivre

- Épluchez et lavez les pois. Faites-les cuire 15 minutes dans l'eau bouillante salée. Égouttez-les et gardez-les tièdes en les mettant entre deux assiettes au-dessus d'une casserole d'eau très chaude.
- Parez les foies de volaille en enlevant le fiel et les traces verdâtres qu'il aurait pu laisser, ainsi que les filaments gras et sanglants.
- Mettez fondre le beurre dans une poêle. Faites-y revenir les foies coupés en tranches fines. Ils doivent rester bien moelleux.
- Faites tiédir le plat de service en le remplissant d'eau très chaude.
- Pendant ce temps, faites légèrement chauffer la vinaigrette dans une casserole en la battant vivement à la fourchette.
- Essuyez rapidement le plat de service. Disposez dedans les pois et les tranches de foies. Versez la vinaigrette un peu chaude par-dessus. Remuez bien et servez aussitôt.

164. Salade de foies de volaille et d'épinards

Pour 6 personnes

350 à 400 g (12 à 15 oz) d'épinards
6 foies de volaille
12 tranches très fines de lard maigre fumé
2 c. à soupe (2 c. à table) d'huile d'olive
2 c. à soupe (2 c. à table) de vinaigre de framboise
2 c. à soupe (2 c. à table) de vinaigrette (recette n° 21) au vinaigre de framboise (recette n° 9)

- Lavez les épinards, équeutez-les et laissez-les égoutter complètement. Coupez-les en lanières et mettez-les dans un saladier avec la vinaigrette. Remuez et laissez reposer.
- Mettez 2 cuillerées d'huile d'olive dans une poêle et faites-la chauffer doucement.
- Parez les foies de volaille en enlevant les parties qui auraient pu être verdies par le voisinage du fiel, enlevez aussi les filaments gras ou sanguinolents. Coupez-les en tranches fines. Passez à l'huile chaude et laissez-les dorer 3 à 4 minutes, en les retournant.
- Posez les foies sur les lanières d'épinards.
- Dans cette même poêle, mettez les tranches de lard fumé à griller.
- Quand elles sont bien dorées, coupez-les en deux ou trois morceaux et versez-les, avec leur graisse bien chaude, sur les tranches de foie et les épinards.
- Déglacez la poêle à feu vif avec les 2 c. à soupe (2 c. à table) de vinaigre de framboise et versez-les très chaudes encore sur la salade. Remuez vite et servez immédiatement.

165. Ris de veau en salade

Pour 6 personnes

225 g (7 1/2 oz) de ris de veau
1 carotte, 1 petit poireau, 1 branchette de thym frais ou 1 c. à café (1 c. à thé) de thym séché, 1 feuille de laurier (pour le bouillon de cuisson du ris de veau)
150 g (5 oz) de mâche
1/2 botte de cresson
1 botte de radis roses
150 g (5 oz) de champignons rosés (ou de Paris)
1 gousse d'ail
1 c. à soupe (1 c. à table) de fines herbes fraîches ou 1 c. à café (1 c. à thé) de fines herbes séchées (persil, ciboulette, estragon, menthe, basilic, cerfeuil, etc.)
3 c. à soupe (3 c. à table) d'huile d'olive
2 c. à soupe (2 c. à table) de jus de citron
1 c. à café (1 c. à thé) de moutarde à l'estragon
Sel et poivre
1 c. à soupe (1 c. à table) comble de beurre

- Épluchez la carotte et le poireau. Émincez-les. Mettez-les dans 0,5 litre (2 tasses) d'eau avec le thym et le laurier, puis salez. Posez les ris de veau dans une passoire au-dessus de la casserole et couvrez pour les faire cuire à la vapeur pendant 5 à 6 minutes.
- Laissez refroidir les ris de veau et nettoyez-les de leur peau et de leurs impuretés.
- (Si vous voulez cuire les ris de veau la veille du jour où vous avez décidé de servir cette salade, préparez-les comme ci-dessus, puis remettez-les dans leur bouillon de cuisson et gardez-les au froid au réfrigérateur jusqu'au moment de les mélanger à la salade).
- Lavez la mâche et le cresson. Laissez-les égoutter.
- Épluchez et lavez les radis. Coupez-les en rondelles.
- Coupez le pied sableux des champignons, essuyez-les bien et coupez-les en lamelles. Arrosez-les d'un peu de jus de citron pour qu'ils ne noircissent pas.

• Mélangez le reste du jus de citron avec l'huile d'olive, la moutarde, les fines herbes, le sel et le poivre. Écrasez la gousse d'ail. Ajoutez-la au mélange et laissez le tout reposer pendant 1 heure.

• Dans un saladier, mettez la sauce, les salades, les radis et les champignons et remuez bien.

• Coupez les ris de veau en petits morceaux. Passez-les à la poêle dans le beurre fondu et faites-les rapidement revenir.

• Préparez une assiette par convive. Garnissez-en le fond avec le mélange de salade. Répartissez les dés de ris de veau par-dessus et saupoudrez de fines herbes.

• Servez aussitôt pendant que les ris de veau sont encore tièdes.

166. Cervelles de veau en vinaigrette

Pour 6 personnes

2 ou 3 cervelles de veau (selon leur grosseur)
2 oignons hachés
Le jus d'un citron
1/2 tasse à thé (1/2 tasse) de vinaigrette au citron (recette n° 21)
1 c. à soupe (1 c. à table) de fines herbes fraîches hachées ou 1 c. à café
   (1 c. à thé) de fines herbes séchées (ciboulette, persil, etc.)

Pour décorer:

Feuilles de laitue et fleurs de capucine

• Mettez dégorger les cervelles sous un filet d'eau froide pendant 15 minutes au moins. Enlevez les membranes et les filets sanguinolents qui pourraient subsister.
• Faites-les pocher 10 à 15 minutes dans une casserole contenant l'oignon, le jus de citron, du sel, du poivre et juste assez d'eau pour les recouvrir.
• Laissez-les refroidir et mettez-les au frais au réfrigérateur avec un peu de liquide de cuisson. Elles seront ainsi plus faciles à émietter.
• Lavez et essorez les feuilles de laitue.
• Disposez-les au fond d'un plat. Émiettez les cervelles dessus.
• Faites la vinaigrette à laquelle vous ajouterez 1 c. à soupe (1 c. à table) de fines herbes hachées. Versez la vinaigrette sur les cervelles.
• Décorez avec des fleurs de capucine.

• **Note:** Vous pouvez rendre cette salade plus nourrissante en lui ajoutant 2 ou 3 oeufs durs coupés en quartiers et de petits croûtons de pain blanc aillés.

167. Cervelles de mouton en salade

Pour 6 personnes

3 cervelles de mouton
50 g (1/4 tasse) de beurre
1/2 c. à soupe (1/2 c. à table) de farine
1 petite laitue
200 g (7 oz) de jeunes épinards
200 g (7 oz) de champignons de Paris
Le jus d'un citron
2 c. à soupe (2 c. à table) de vinaigre de cidre
6 c. à soupe (6 c. à table) de vinaigrette au vinaigre de cidre (recette n° 21)

Court-bouillon pour cuire les cervelles:

1 carotte
1 oignon
1 clou de girofle
1 bouquet garni (persil, thym et laurier)
Sel et poivre

- Laissez les cervelles dégorger pendant 2 heures sous un filet d'eau.
- Faites cuire le court-bouillon avec les éléments ci-dessus énumérés.
- Mettez-y les cervelles et ajoutez le jus d'un demi-citron. Faites pocher à l'eau frémissante pendant 10 bonnes minutes. Égouttez et laissez refroidir.
- Coupez-les en tranches.
- Épluchez la laitue et équeutez les épinards. Lavez et essorez soigneusement votre mélange de salades. Coupez-les en lanières. Garnissez-en chaque assiette individuelle.
- Enlevez le pied sableux des champignons, essuyez-les bien, coupez-les en lamelles et arrosez-les du jus du demi-citron qui reste pour qu'ils ne noircissent pas.
- Disposez les champignons en couronne sur les salades.
- Farinez légèrement les tranches de cervelle. Faites fondre le beurre dans une poêle et faites revenir les tranches de cervelle sur les deux faces.
- Aspergez les salades et les champignons avec la vinaigrette. Disposez les tranches de cervelle dorées sur les assiettes. Déglacez la poêle avec le vinaigre de cidre que vous versez brûlant sur chaque assiette. Servez aussitôt.

168. Salade de cervelles d'agneau à l'orange

Pour 6 personnes

3 cervelles d'agneau
300 g (10 oz) de concombres
1 c. à soupe (1 c. à table) de câpres
1 c. à soupe (1 c. à table) de cornichons coupés en rondelles
18 tomates cerises
2 oranges

Cuisson des cervelles:

1 citron
3 c. à soupe (3 c. à table) de vin blanc sec
1 bouquet garni (persil, thym et laurier)
1/2 c. à café (1/2 c. à thé) de poivre en grains
Sel

Sauce:

2 c. à soupe (2 c. à table) de fromage blanc lisse
1 c. à soupe (1 c. à table) de crème fraîche (crème à 35 p. 100)
Le zeste râpé et le jus d'une orange
Sel et poivre

Pour le décor:

Feuilles de laitue

- Faites un court-bouillon avec les éléments de cuisson des cervelles dans 0,5 litre (2 tasses) d'eau.
- Faites dégorger les cervelles pendant 15 minutes sous un filet d'eau pour en éliminer les traces de sang qui pourraient encore subsister.
- Plongez-les dans le court-bouillon frémissant. Attendez que l'ébullition reprenne, laissez bouillir quelques secondes, coupez le feu et laissez-les dans le court-bouillon jusqu'à ce qu'il soit froid.
- Épluchez les concombres, détaillez en petites lamelles et enlevez les pépins du centre.

- Lavez les tomates cerises et essuyez-les bien.
- Pelez les oranges à vif et enlevez les peaux blanches entre les tranches. Réservez le jus perdu au cours de cette opération.
- Faites la sauce en fouettant vigoureusement ensemble le fromage blanc, la crème fraîche, le zeste et le jus d'une 3e orange ainsi que le jus d'orange que vous aurez récupéré des oranges épluchées. Salez et poivrez.
- Lavez les feuilles de laitue et essorez-les bien.
- Prévoyez une assiette par convive. Garnissez-en le fond avec les feuilles de laitue. Disposez dessus les lamelles de concombre, les tranches d'orange et les tomates cerises. Saupoudrez avec les câpres et les rondelles de cornichon.
- Détaillez les cervelles en escalopes. Répartissez-les en éventail par-dessus, dans les assiettes, et nappez légèrement avec 1 c. à soupe (1 c. à table) de sauce. Servez le reste de la sauce à part.

169. Langue de veau en salade de légumes

Pour 6 personnes

1 langue de veau
3 pommes de terre
300 g (10 oz) de petits pois (une fois écossés)
100 g (3 oz) de navet
1 petit oignon
1 branche d'estragon frais ou 1 c. à soupe (1 c. à table) d'estragon séché
1 c. à café (1 c. à thé) de sucre
1 c. à café (1 c. à thé) de beurre
3 c. à soupe (3 c. à table) de vinaigrette au vinaigre de vin (recette n° 21)
75 ml (2 1/2 oz) de vin blanc
1 tasse de mayonnaise au vinaigre (recette n° 23)
1 *court-bouillon* pour la langue: voir sa composition à la recette n° 171, Pieds de mouton en salade

Décor facultatif:

Olives et légumes conservés au vinaigre

• Demandez au tripier une langue de veau déjà parée pour n'avoir plus qu'à la cuire au court-bouillon.
• Faites bouillir le court-bouillon et plongez-y la langue de veau. Laissez cuire 2 petits bouillons, à couvert, pendant 2 heures 30 minutes.
• Faites cuire les pommes de terre avec leur peau dans l'eau bouillante salée pendant 30 minutes environ. Retirez-les, épluchez-les, coupez-les en petits dés et arrosez-les, encore chaudes, avec le vin blanc. Réservez-les.
• Épluchez, lavez et faites cuire les navets dans l'eau bouillante salée. Il faut 15 à 20 minutes. Égouttez-les et coupez-les en petits dés.
• Mettez dans une casserole 2 ou 3 cuillerées d'eau, le beurre, l'estragon, le petit oignon, le sucre et les petits pois. Faites cuire 10 minutes environ, à couvert. Goûtez pour juger du degré de cuisson. Veillez à maintenir un peu d'eau, mais ne les noyez pas. Retirez la branche d'estragon, si vous avez utilisé de l'estragon frais, et l'oignon.
• Mélangez les 3 légumes et assaisonnez-les avec la vinaigrette.

• Coupez la langue en tranches de 1/2 cm (1/4 po) d'épaisseur. Intercalez une feuille d'épinard ou d'oseille entre chaque tranche pour donner de la couleur à votre plat. Disposez la macédoine de légumes de part et d'autre des tranches de langue.
• Servez la mayonnaise à part.

• **Note:** Vous pouvez aussi présenter ce plat accompagné d'un coulis de tomate froid (recette n° 33), parfumé de 3 cuillerées d'huile d'olive et de 1 c. à soupe (1 c. à table) de moutarde à l'estragon (recette n° 20) (au lieu de mayonnaise).

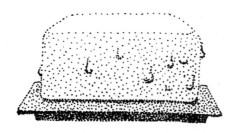

170. "Saladier" ou salade lyonnaise

Pour 6 personnes

2 pieds de mouton (pour la préparation, reportez-vous à la recette des Pieds de mouton en salade (recette n° 171)
2 foies de volaille
30 g (2 c. à table) de beurre
3 ou 4 filets de harengs marinés (*voir* recette des Harengs marinés en salade (recette n° 146)
100 ml (env. 1/2 tasse) de vinaigrette (recette n° 21)
2 c. à café (2 c. à thé) de moutarde à l'estragon
2 c. à soupe (2 c. à table) de fines herbes fraîches hachées (persil, ciboulette, etc.) ou 2 c. à café (2 c. à thé) de fines herbes séchées

Pour décorer:

2 oeufs durs coupés en rondelles
Quelques feuilles de laitue

- Parez les foies de volaille en veillant à ce qu'il ne reste plus de fiel, ni de parties verdies par le fiel, ni de filets gras ou sanguinolents.
- Faites-les revenir dans une poêle avec le beurre. Ils doivent rester tendres et un peu rosés à l'intérieur. Salez, poivrez puis coupez en petits dés.
- Coupez les harengs marinés en petits morceaux.
- Faites cuire et préparez les pieds de mouton comme il est dit à la recette n° 171.
- Imbibez-les de la vinaigrette.
- Mélangez la moutarde avec les fines herbes. Ajoutez-la aux pieds de mouton, puis ajoutez et mélangez les dés de foies de volaille et les morceaux de harengs marinés.
- Disposez un lit de feuilles de laitue au fond et autour du saladier. Versez le mélange à la vinaigrette dessus.
- Décorez avec les rondelles d'oeufs durs sur le pourtour.

171. Pieds de mouton en salade

Pour 6 personnes

6 pieds de mouton
3 oeufs durs
6 filets d'anchois
150 ml (2/3 tasse) de vinaigrette au vinaigre de vin (recette n° 21)
2 c. à soupe (2 c. à table) de persil frais haché ou 2 c. à café (2 c. à thé) de
**   persil séché**
1 c. à soupe (1 c. à table) de câpres
1 c. à soupe (1 c. à table) de cornichons hachés
2 c. à café (2 c. à thé) de moutarde à l'estragon

Court-bouillon pour les pieds de mouton:

1 carotte
1 poireau
1 branche de céleri
1 oignon

2 clous de girofle
1 bouquet garni (thym, laurier et persil)
Sel et poivre

- Préparez le court-bouillon en faisant cuire ensemble dans 1 litre (4 tasses) d'eau tous les éléments ci-dessus énumérés, et cela pendant 1 heure.
- Demandez les pieds de mouton tout parés chez le tripier. Enveloppez-les dans une mousseline et ficelez-les. Faites-les cuire pendant 4 heures à petit feu dans le court-bouillon. Ils doivent toujours être recouverts d'eau, ajoutez-en donc en cours de cuisson si elle venait à s'évaporer.
- Laissez les pieds de mouton refroidir dans le liquide de cuisson. Sortez-les de la mousseline, égouttez-les et enlevez tous les os. Coupez-les en petits morceaux.
- Faites dessaler les filets d'anchois sous un filet d'eau pendant 30 minutes. Séchez-les et enlevez l'arête dorsale.
- Faites cuire les oeufs dans l'eau bouillante pendant 10 minutes. Passez-les sous l'eau froide, écalez-les et coupez-les en quartiers.
- Faites la sauce vinaigrette. Imbibez-en les morceaux de pieds de mouton.
- Mélangez la moutarde avec le persil, les câpres et les cornichons hachés. Ajoutez-les aux pieds de mouton et remuez bien.
- Décorez avec les oeufs durs et les filets d'anchois.

172. Gras-double en salade

Le gras-double est la panse du boeuf. Vous pouvez vous le procurer, généralement déjà cuit, chez le tripier. Au cas où il vous faudrait le préparer, sachez qu'il suffit de le cuire à l'eau frémissante, salée, pendant 5 heures.

Pour 6 personnes

500 g (1 lb) de gras-double cuit
200 g (7 oz) de chicorée frisée et de Trévise en mélange
100 ml (env. 1/2 tasse) de vin blanc
2 carottes
1 oignon
2 clous de girofle
1 bouquet garni (thym, laurier et persil)
Sel et poivre
3 petits cornichons coupés en rondelles
6 c. à soupe (6 c. à table) de mayonnaise au vinaigre

- Faites cuire pendant 15 minutes le gras-double dans une casserole avec le vin, juste assez d'eau pour le recouvrir, le bouquet garni, les carottes, l'oignon et les clous de girofle.
- Pendant ce temps, épluchez, lavez et essorez soigneusement vos salades.
- Coupez les cornichons en rondelles.
- Disposez les salades dans un saladier.
- Sortez le gras-double de son bouillon de cuisson. Laissez-le tiédir puis découpez-le en fines lanières.
- Ajoutez 1 ou 2 c. à soupe (1 ou 2 c. à table) du bouillon de cuisson à la mayonnaise pour la rendre plus liquide.
- Disposez les lanières de gras-double sur la salade mélangée. Parsemez des rondelles de cornichon et nappez de la mayonnaise.
- Servez frais.

173. Salade alsacienne

Pour 6 personnes

400 à 500 g (14 oz à 1 lb) de palette de porc fumée (*schifela*)
750 g (1 lb 10 oz) de pommes de terre
3 échalotes
75 ml (2 1/2 oz) de vin blanc sec d'Alsace (Sylvaner ou riesling)
Sauce vinaigrette à l'huile d'arachide et au vinaigre de vin blanc (recette n° 21)

- Il vaut mieux prévoir cette salade depuis **la veille**, car il convient de faire tremper la palette fumée et salée pendant 6 heures à l'eau froide.
- Mettez-la ensuite dans un fait-tout. Recouvrez-la d'eau froide sans aucun assaisonnement, et portez à ébullition. On compte environ 45 min/kg (20 min/lb) de cuisson pour la *schifela* à partir de l'ébullition.
- Épluchez les pommes de terre.
- Quand la *schifela* est prête, ajoutez les pommes de terre à cuire dans son eau de cuisson. Il faut calculer environ 30 minutes, suivant la qualité et la taille des pommes de terre.
- Retirez-les aussitôt cuites. Coupez-les en rondelles et arrosez-les avec le vin blanc d'Alsace. Remuez bien.
- Détaillez la *schifela* en petits morceaux. Épluchez les échalotes, et hachez-les grossièrement.
- Dans un saladier, mélangez les pommes de terre, la *schifela* et les échalotes hachées.
- Comptez 8 c. à soupe (8 c. à table) de vinaigrette à l'huile d'arachide (ou de tournesol) et au vinaigre de vin blanc. Ajoutez 1 ou 2 c. à soupe (1 ou 2 c. à table) du bouillon de cuisson.
- Nappez la salade de cette sauce. Mélangez bien et servez encore tiède.

- **Note:** Cette salade est très nourrissante. Prévoyez un plat léger pour la suite, ou forcez les proportions et servez-la en plat unique.

174. Salade de jambon et de fonds d'artichaut

Pour 6 personnes

250 g (8 oz) de mesclun (pourpier, raiponce, roquette, boursette, pimprenelle ou une partie de ces herbes seulement)
3 artichauts
3 tranches épaisses de jambon
200 g (7 oz) de champignons de Paris
Le jus d'un citron
1/2 tasse à thé (1/2 tasse) de vinaigrette à l'huile d'olive et au citron (recette n° 21)

Pour décorer:

1 oeuf dur broyé
1 c. à café (1 c. à thé) de persil frais haché
   ou quelques brins de cerfeuil frais ou 1 pincée d'une de ces herbes séchées

• Faites cuire les artichauts à l'eau bouillante salée jusqu'à ce qu'une feuille prise au hasard se détache facilement. Laissez-les égoutter la tête en bas. Enlevez les feuilles et le foin. Détaillez les fonds en tranches minces et arrosez-les immédiatement du jus de la moitié du citron pour qu'ils ne noircissent pas.
• Épluchez le mesclun, lavez-le soigneusement et laissez-le bien égoutter.
• Coupez le pied sableux des champignons de Paris, essuyez-les soigneusement et coupez-les en lamelles. Arrosez-les du jus de l'autre moitié de citron pour qu'ils ne noircissent pas.
• Coupez le jambon en petits dés.
• Faites cuire l'oeuf dans l'eau bouillante pendant 10 minutes. Passez-le sous l'eau froide. Écalez-le et broyez-le grossièrement à la fourchette (blanc et jaune).
• Dans un plat creux, disposez le mesclun au fond, puis les fonds d'artichaut en couronne, puis les dés de jambon à l'intérieur de cette couronne et enfin les champignons en dôme au milieu. Nappez de la vinaigrette et servez frais, après avoir saupoudré le tout de l'oeuf dur broyé et du persil haché (ou des brins de cerfeuil).

175. Figues fraîches et jambon de Parme en vinaigrette

Pour 6 personnes

12 ou 18 figues fraîches bien mûres
6 ou 9 tranches de jambon de Parme ou de Bayonne ou *prosciutto* coupées très
   mince
12 ou 18 feuilles de menthe fraîche pour décorer

Sauce:

Le jus d'un citron
10 feuilles de menthe fraîche ou 2 c. à café (2 c. à thé) de menthe séchée
300 g (10 oz) de crème fraîche épaisse (crème à 35 p. 100)
Sel et poivre (modérément)

- Pelez les figues et ouvrez-les en quartiers sans les détacher complètement du pédoncule.
- Coupez chaque tranche de jambon en deux et chiffonnez-les sur les
figues.
- Faites la sauce en pilant dans un mortier les feuilles de menthe fraîche
et le jus de citron. Laissez reposer 20 à 30 minutes pour que la menthe
donne tout son parfum. Filtrez le liquide pour vous débarrasser des
débris de feuilles.
- Versez la crème petit à petit dans le jus de citron, en remuant constamment, comme vous le feriez pour une mayonnaise. La sauce épaissit
progressivement. Salez et poivrez très modérément et répartissez la
sauce sur les figues au jambon. Décorez d'une feuille de menthe fraîche
et servez immédiatement.

176. Saucisson à la salade de choucroute

Pour 6 personnes

500 g (1 lb) de saucisson à cuire
600 g (1 lb 5 oz) de choucroute crue
1 ou 2 belles pommes
12 cerneaux de noix
Le jus d'un citron
5 c. à soupe (5 c. à table) de vinaigrette au citron (recette n° 21)
1 c. à soupe (1 c. à table) de fines herbes fraîches hachées (persil, estragon,
    ciboulette, etc.) ou 1 c. à café (1 c. à thé) de ces herbes séchées
1/2 c. à café (1/2 c. à thé) de cumin en poudre

• Piquez la peau du saucisson avec une fourchette pour qu'il n'éclate pas à la cuisson. Mettez-le à cuire 30 minutes à l'eau bouillante salée. Égouttez-le.
• Lavez abondamment la choucroute crue pour qu'elle perde sa saumure. Séchez-la soigneusement.
• Pelez les pommes, coupez-les en petits dés et arrosez-les de jus de citron pour qu'ils ne noircissent pas.
• Faites la vinaigrette dans un saladier. Ajoutez-y les fines herbes hachées et le cumin en poudre.
• Coupez le saucisson en rondelles régulières.
• Mélangez dans le saladier la choucroute crue bien sèche et le saucisson.
• Décorez avec les cerneaux de noix.

177. Salade de cervelas comme à Lyon

Pour 6 personnes

4 cervelas
500 g (1 lb) de pommes de terre
2 c. à soupe (2 c. à table) de fines herbes fraîches (persil, ciboulette et estragon) ou 2 c. à café (2 c. à thé) de ces herbes séchées
1/2 tasse à thé (1/2 tasse) de vinaigrette (recette n° 21)
1/2 c. à café (1/2 c. à thé) de graines de carvi (facultatif)
1/2 oignon doux
75 ml (1/3 tasse) de vin blanc sec

• Piquez la peau des cervelas avec une fourchette pour qu'ils n'éclatent pas à la cuisson.
• Faites-les pocher 20 minutes à l'eau frémissante.
• Faites cuire les pommes de terre avec leur peau dans l'eau bouillante salée pendant 30 minutes environ (le temps de cuisson dépend de leur taille).
• Épluchez les pommes de terre et coupez-les en rondelles. Arrosez-les avec le vin blanc et gardez-les dans un récipient couvert.
• Coupez les cervelas en rondelles et mettez-les avec les pommes de terre.
• Épluchez l'oignon doux, coupez-en la moitié en rondelles et détachez les anneaux.
• Ajoutez-les aux pommes de terre.
• Mélangez le tout dans un saladier. Versez la vinaigrette dessus. Parsemez de fines herbes et de graines de carvi.
• Servez encore tiède.

• **Note:** Vous pouvez remplacer les cervelas par un saucisson à cuire truffé et pistaché. Le résultat sera beaucoup plus savoureux.

Salades
de volaille
et de viande

178. *Salade de poulet*
179. *Poulet fumé en salade*
180. *Salade de blancs de poulet à la mayonnaise*
181. *Salade d'hiver au poulet*
182. *Poulet et framboises en salade*
183. *Salade tricolore au poulet*
184. *Salade de poulet à l'ananas*
185. *Salade de volaille à la polonaise*
186. *Salade de pintade aux pointes d'asperges*
187. *Émincé de dinde et oranges en salade*
188. *Magrets de canard en salade*
189. *Salade du Moyen-Orient*
190. *Magrets de canard et chou rouge en salade*
191. *Salade d'oie fumée et de cèpes*
192. *Cou d'oie farci en salade*
193. *Salade d'agneau à la provençale*
194. *Salade d'agneau et de concombre*
195. *Veau et champignons au cerfeuil en salade*
196. *Boeuf cru en salade (carpaccio "à ma façon")*
197. *Salade de boeuf et de poivrons*
198. *Filet de boeuf en salade*
199. *Salade de boeuf aux oignons confits*

178. Salade de poulet

Pour 6 personnes

600 g (1 lb 5 oz) de viande de poulet désossée, rôtie ou bouillie
2 oignons doux
3 tranches de pain de 1 cm (1/2 po) d'épaisseur
0,5 litre (2 tasses) de bouillon de poulet (vous pouvez employer des plaquettes de concentré de bouillon vendues dans le commerce)
12 c. à soupe (12 c. à table) d'huile d'olive (ou d'un mélange de 9 c. à soupe (9 c. à table) d'huile d'arachide pour 3 c. à soupe (3 c. à table) d'huile de noix
4 c. à soupe (4 c. à table) de jus de citron
100 g (3 oz) de cerneaux de noix
1 c. à soupe (1 c. à table) de persil frais haché ou 1 c. à café (1 c. à thé) de persil séché
1 c. à soupe (1 c. à table) rase de paprika doux
Sel, poivre et 1 pincée de Cayenne
Quelques feuilles de laitue

• Coupez les tranches de pain, **la veille**, en petits dés et mettez-les à tremper dans la moitié du bouillon de poulet.
• Réservez une dizaine de cerneaux de noix pour le décor. Hachez les autres avec les oignons. Mélangez au pain trempé dans le bouillon de poulet et broyez bien. Ajoutez l'huile en filets, puis le reste du bouillon de poulet, le paprika, salez, poivrez, puis ajoutez le poivre de Cayenne.
• Émincez le poulet, arrosez-le de jus de citron et remuez bien. Laissez macérer une heure au réfrigérateur, après avoir ajouté la moitié de la sauce.
• Disposez les feuilles de laitue sur un plat assez creux.
• Versez la salade de poulet en dôme au centre. Arrosez du reste de la sauce et servez aussitôt, après avoir saupoudré le tout avec le persil haché et décoré avec les cerneaux de noix qui restent.

179. Poulet fumé en salade

Pour 6 personnes

Les blancs d'un poulet fumé
600 g (1 lb 5 oz) de pommes de terre
1 betterave rouge cuite à la vapeur
200 g (7 oz) de mâche (ou de feuilles de jeunes épinards)
150 ml (2/3 tasse) de vin blanc sec
6 c. à soupe (6 c. à table) de mayonnaise aux herbes aromatiques (recette n°24)
2 c. à soupe (2 c. à table) de câpres

- Faites cuire les pommes de terre dans leur peau à l'eau bouillante salée. Comptez environ 30 minutes de cuisson.
- Épluchez-les, coupez-les en rondelles, arrosez-les immédiatement du vin blanc sec, remuez bien et gardez-les au tiède en les plaçant entre deux assiettes sur une casserole d'eau très chaude.
- Épluchez la betterave. Coupez-la en petits dés.
- Épluchez la mâche (ou équeutez les épinards), lavez-les et essorez-les soigneusement. Si vous utilisez des épinards, coupez-les en larges lanières.
- Coupez les blancs de poulet fumé en tranches minces.
- Ajoutez les câpres égouttées à la mayonnaise.
- Tapissez le fond du plat de service avec la salade verte.
- Mettez les pommes de terre en dôme au milieu.
- Entourez des dés de betterave et disposez les tranches de poulet fumé en couronne vers l'extérieur.
- Servez la mayonnaise à part.
- Efforcez-vous de servir cette salade quand les pommes de terre sont encore tièdes, c'est meilleur.

180. Salade de blancs de poulet à la mayonnaise d'avocats

Pour 6 personnes

450 à 500 g (15 oz à 1 lb) de blancs de poulet (rôti ou bouilli)
300 g (10 oz) de champignons de Paris ou de rosés des prés
Feuilles de laitue pour tapisser le saladier

Sauce:

3 jaunes d'oeufs crus, très frais
1/2 avocat bien mûr
3 c. à café (3 c. à thé) de moutarde douce au citron vert
Le jus d'un demi-citron
Sel et poivre
1 pincée de poivre de Cayenne
1 pincée de paprika
Huile (moitié huile d'olive, moitié huile d'arachide en quantité suffisante pour
    obtenir une sauce à consistance de mayonnaise)

- Battez au mixer tous les éléments de la sauce (sauf l'huile).
- Ajoutez l'huile petit à petit en filet, comme vous le feriez pour une mayonnaise.
- Découpez le poulet en petits dés et les champignons, crus, bien essuyés, en fines lamelles.
- Mélangez immédiatement les champignons et le poulet à la mayonnaise. Procédez délicatement pour ne pas briser les champignons.
- Déposez le mélange sur les feuilles de salade.
- Réservez au frais jusqu'au moment de servir.

- **Note:** Cette recette peut aussi être réalisée avec 500 à 600 g (1 lb à 1 lb 5 oz) de poisson blanc (lotte, baudroie, colin, cabillaud, merlan, aiglefin ou lieu) cuit au court-bouillon, au lieu de poulet.

181. Salade d'hiver au poulet

Pour 6 personnes

400 g (14 oz) de poulet rôti ou bouilli
150 g (5 oz) de gruyère coupé en dés
3 pommes granny smith
50 g (2 oz) de cerneaux de noix
200 g (7 oz) de mâche
Le jus d'un citron

Sauce:

100 ml (3 oz) de yogourt
2 c. à soupe (2 c. à table) d'huile d'olive
2 c. à soupe (2 c. à table) de vinaigre de fraise (ou de framboise)
1 c. à café (1 c. à thé) de moutarde douce
Sel et poivre

• Préparez la sauce en mélangeant tous les éléments au fouet et battez vigoureusement.
• Émincez le poulet.
• Épluchez et lavez la mâche. Laissez-la bien égoutter.
• Coupez les pommes en lamelles que vous arroserez de jus de citron pour qu'elles ne noircissent pas.
• Coupez le gruyère en dés.
• Mettez la sauce au fond d'un saladier. Mélangez-y tous les éléments de la salade.
• Décorez avec les cerneaux de noix.

182. Poulet et framboises en salade

Pour 6 personnes

5 ou 6 escalopes de poulet
400 g (14 oz) de framboises
1 c. à café (1 c. à thé) de baies de genévrier
2 clous de girofle
3 c. à soupe (3 c. à table) d'huile d'olive
Poivre du moulin
1 1/2 c. à soupe (1 1/2 c. à table) de menthe fraîche hachée ou 1 1/2 c. à café
(1 1/2 c. à thé) de menthe séchée
200 ml (env. 7 oz) de bon vin rouge
Quelques feuilles de salade verte pour le décor

• Faites mariner les morceaux de blancs de poulet pendant **4 heures** dans la marinade suivante.
• Écrasez les baies de genièvre, écrasez aussi les clous de girofle (si vous n'avez pas de mortier, passez-les au mixer).
• Ajoutez la moitié du vin rouge, l'huile d'olive et 4 tours de moulin à poivre.
• Mettez les blancs de poulet dans cette marinade et retournez-les toutes les heures pour qu'ils s'imprègnent bien.
• Faites macérer les framboises dans un autre récipient dans lequel vous aurez mis le reste du vin rouge et la menthe fraîche hachée.
• Mettez la macération de framboises au frais. Laissez la marinade de poulet à température ambiante.
• Faites chauffer la rôtissoire et égouttez sommairement les morceaux de poulet. Faites-les cuire et dorer sur les deux faces en ayant soin de les arroser avec la marinade pour qu'ils ne dessèchent pas.
• Piquez la viande à la fourchette. Si le jus qui s'en échappe est clair, c'est le signe que la viande est cuite.
• Laissez-la refroidir et coupez en tranches fines.
• Dégraissez le jus de cuisson de la viande et mélangez-le au vin de menthe des framboises.
• Mélangez tranchettes de poulet et framboises. Versez dessus la marinade à la menthe additionnée du jus de cuisson.
• Décorez de quelques feuilles de salade verte.

183. Salade tricolore au poulet

Pour 6 personnes

6 écrevisses (ou 6 grosses crevettes "bouquet")
400 g (14 oz) de blancs de poulet
300 g (10 oz) de haricots verts très fins
300 g (10 oz) de coeurs de fenouil
300 g (10 oz) de betterave cuite à l'étouffée
6 c. à soupe (6 c. à table) d'huile d'olive vierge ou de première pression
2 c. à soupe (2 c. à table) de jus de citron
Sel et poivre

Court-bouillon:

1 carotte
1 oignon
1 clou de girofle
1 bouquet garni (persil, thym et laurier)
1 branche d'estragon frais ou 1 c. à café (1 c. à thé) d'estragon séché
Sel et poivre
Le jus d'un citron

• Faites un court-bouillon avec les éléments énumérés ci-dessus que vous mettrez à bouillir dans 0,5 litre (2 tasses) d'eau.
• Plongez-y les blancs de poulet et faites-les cuire entre 10 et 15 minutes. Sortez-les et égouttez-les.
• Châtrez les écrevisses en enlevant le segment du milieu de la queue des écrevisses. Imprimez-lui un mouvement tournant d'un quart de tour. Tout l'appareil digestif (un long filament noir) de l'écrevisse vient au bout de ce segment.
• Portez le court-bouillon à ébullition, jetez-y les écrevisses et laissez cuire 5 minutes, pas plus. Décortiquez-les.
• Faites cuire les haricots épluchés dans l'eau bouillante salée pendant 8 minutes, casserole découverte. Égouttez-les.
• Lavez les coeurs de fenouil et coupez-les en tranches très fines.
• Épluchez la betterave et coupez-la en tranches fines.
• Dans chaque assiette, disposez en petites boules les haricots verts, les betteraves et les coeurs de fenouil. Alternez avec les blancs de poulet coupés en fines escalopes et décorez avec une écrevisse.

- Aspergez chaque assiette de 1 bonne c. à soupe (1 bonne c. à table) de sauce faite avec le mélange bien battu de l'huile d'olive, du jus de citron, du sel et du poivre.
- Servez à température ambiante.

---

184. Salade de poulet à l'ananas

Pour 6 personnes

1 concombre moyen
1 petit ananas (ou 225 g (7 oz) d'ananas en conserve)
400 g (14 oz) de poulet rôti ou bouilli
50 g (2 oz) d'amandes effilées
5 c. à soupe (5 c. à table) de mayonnaise au citron (recette n° 23)
4 c. à soupe (4 c. à table) de yogourt au naturel
1 c. à café (1 c. à thé) de cari en poudre
Sel et poivre (éventuellement)

Décor:
Quelques feuilles de laitue

- Coupez la viande de poulet en lanières fines.
- Pelez le concombre, enlevez les graines du coeur et coupez-le en petits dés.
- Coupez les tranches d'ananas également en dés.
- Faites griller les amandes effilées.
- Mettez tous ces ingrédients dans un saladier et remuez bien.
- Faites la mayonnaise, puis ajoutez le yogourt et le cari. Goûtez pour vérifier s'il est nécessaire de saler et de poivrer un peu — généralement ce n'est pas la peine.
- Nappez la salade de cette sauce et tournez-la.
- Disposez la laitue dans les assiettes individuelles (ou dans le plat de service). Disposez la salade de poulet dessus. Servez frais.

185. Salade de volaille à la polonaise

Pour 6 personnes

400 g (14 oz) de blancs de poulet cuit
0,5 litre (2 tasses) de bouillon de poulet (vous pouvez utiliser un cube de con-
centré selon le mode d'emploi de l'emballage)
1 concombre moyen
3 tranches de pain de campagne
2 c. à soupe (2 c. à table) d'huile de noix
4 c. à soupe (4 c. à table) d'huile d'arachide ou de tournesol
4 c. à soupe (4 c. à table) de jus de citron
2 oignons
1 bouquet de persil frais ou 1 c. à soupe (1 c. à table) de persil séché
100 g (3 oz) de cerneaux de noix
1 c. à soupe (1 c. à table) de paprika doux
Sel et poivre

• Épluchez le concombre et coupez-le en rondelles. Placez-les dans un égouttoir et salez. Laissez le concombre perdre son eau de végétation pendant 1 heure.

• Faites tremper les tranches de pain coupées en petits morceaux dans la moitié du bouillon de poulet, et ceci pendant une heure au moins (toute la nuit si possible).

• Coupez les blancs de poulet cuits en petits dés et arrosez-les du jus de citron.

• Hachez les oignons et 75 g (2 1/2 oz) de cerneaux de noix, ensemble, au mixer.

• Égouttez le pain trempé et hachez-le aussi au mixer avec les oignons et les noix. Ajoutez le reste du bouillon de poulet et parfumez avec le paprika. Salez et poivrez.

• Mettez la moitié de cette sauce dans une petite terrine et mélangez avec les lanières de poulet. Laissez au réfrigérateur pendant 1 heurre.

• Si vous utilisez du persil frais, hachez-le.

• Lavez les rondelles de concombre pour qu'elles ne soient pas trop salées. Égouttez-les bien.

• Disposez-les en couronne autour d'un plat assez creux.

• Posez la salade de poulet en dôme au milieu et nappez le tout du reste de sauce.

• Décorez avec le persil haché et le reste des cerneaux de noix.

186. Salade de pintade aux pointes d'asperges

Pour 6 personnes

Les blancs d'une belle pintade rôtie
1 kg (2 lb 3 oz) d'asperges
3 tomates bien fermes
1 petite salade chicorée frisée
1 botte de cerfeuil frais ou 1 c. à soupe (1 c. à table) de cerfeuil séché
8 c. à soupe (8 c. à table) de vinaigrette (recette n° 21) à l'huile d'olive et au vinaigre de framboises (recette n° 9)

• Faites cuire les asperges à l'eau bouillante salée après les avoir grattées. Placez la tête en haut dans un fait-tout et mettez un papier d'aluminium bombé dessus, de façon que les pointes cuisent à la vapeur. Il faut compter 20 minutes de cuisson environ.

• Ne gardez que les pointes bien tendres des asperges — le reste vous servira à faire un velouté avec l'eau de cuisson.

• Plongez les tomates quelques secondes dans l'eau bouillante pour les peler facilement. Épépinez-les et pressez-les dans vos mains pour en extraire le maximum d'eau de végétation. Coupez-les en très petits dés.

• Épluchez, lavez et essorez soigneusement la chicorée frisée.

• Coupez les blancs de pintade en fines escalopes.

• Si vous utilisez du cerfeuil frais, épluchez la botte de cerfeuil.

• Disposez la salade sur des assiettes individuelles. Répartissez les blancs de pintade et les pointes d'asperges. Parsemez de petits cubes de tomates.

• Faites la sauce. Au tout dernier moment, ajoutez le cerfeuil. Si vous avez employé ce produit frais, assurez-vous qu'il est bien lavé, séché et coupé grossièrement aux ciseaux (jamais au mixer).

• Répartissez la sauce sur les assiettes et servez immédiatement.

187. Émincé de dinde et oranges en salade

Pour 6 personnes

350 à 400 g (12 à 14 oz) d'escalopes de dinde
1 c. à soupe (1 c. à table) d'estragon frais haché ou 1 c. à café (1 c. à thé) d'estragon séché
3 oranges non traitées (si possible)
1 feuille de laurier
1 petit oignon
3 c. à soupe (3 c. à table) d'huile d'olive
1 c. à soupe (1 c. à table) de vinaigre de vin
Sel et poivre
1/2 botte de cresson
1/2 petite scarole
20 feuilles d'épinards

• Lavez bien les oranges et râpez le zeste de l'une d'elles.
• Pressez l'orange zestée au-dessus d'une cocotte pour en extraire le jus. Ajoutez le zeste râpé, l'oignon épluché et coupé en fines rondelles, le laurier et l'estragon.
• Posez les escalopes sur ce lit parfumé. Salez et poivrez. Mouillez de 150 ml (2/3 tasse) d'eau. Couvrez et laissez cuire doucement pendant 20 minutes en arrosant plusieurs fois les escalopes avec le liquide de cuisson.
• Dès que la viande est cuite, sortez-la de la cocotte et laissez-la refroidir. Jetez les rondelles d'oignon et la feuille de laurier.
• Laissez le liquide réduire sur le feu jusqu'à ce qu'il n'en reste que 4 ou 5 cuillerées. Filtrez et laissez refroidir au plus froid du réfrigérateur.
• Lavez et brossez la peau des 2 oranges qui restent. Détaillez-les en rondelles aussi fines que possible. Recueillez le jus perdu au cours de cette opération.
• Épluchez, lavez et essorez soigneusement les salades. Coupez-les en lanières et mélangez-les.
• Tapissez-en un plat assez creux.
• Coupez les escalopes de dinde en fines lanières. Disposez-les sur les salades en alternant avec les tranches d'oranges.
• Sortez le jus de cuisson de la dinde du réfrigérateur. Enlevez la graisse qui a figé dessus. Tiédissez le liquide et ajoutez-lui le jus d'orange re-

cueilli, l'huile, le vinaigre, le sel et le poivre nécessaires. Battez bien à la fourchette pour obtenir un bon amalgame.
• Versez sur le plat et servez aussitôt.

---

188. Magrets de canard en salade

Pour 6 personnes

2 ou 3 magrets de canard (suivant leur grosseur)
12 tranches très, très fines de lard maigre fumé
300 g (10 oz) de salade mélangée: chicorée frisée, barbe-de-capucin, trévisette, cresson
4 c. à soupe (4 c. à table) de vinaigrette (recette n° 21) au vinaigre de fraise (ou de framboise) (recette n° 9)
1 c. à soupe (1 c. à table) de vinaigre de fraise (ou de framboise)
Sel et poivre du moulin
30 g (2 c. à table) de beurre

• Faites griller les magrets au beurre pendant 7 minutes du côté de la peau, puis 3 minutes du côté de la chair. Couvrez pendant 10 minutes, feu éteint.
• Épluchez, lavez et essorez soigneusement votre assortiment de salades.
• Tournez-la dans la vinaigrette pour qu'elle s'en imprègne bien.
• Retirez les magrets de la poêle. Mettez les très fines tranches de lard fumé à la place et faites-les dorer.
• Coupez les magrets en lanières. Salez et poivrez-les.
• Disposez-les en éventail dans le plat de service en alternant avec les tranchettes de lard fumé. Posez la salade dans l'autre moitié du plat.
• Dégraissez la poêle avec 1 c. à soupe (1 c. à table) de vinaigre de fraise (ou de framboise) et jetez brûlant sur les viandes.
• Servez aussitôt.

189. Salade du Moyen-Orient

Pour 6 personnes

2 pigeons
1 oignon doux
3 oranges
3 avocats
1 coeur de laitue
50 g (1/4 tasse) de beurre
Le jus d'un citron

Sauce:

100 ml (3 oz) de yogourt
2 c. à soupe (2 c. à table) de cari
1 c. à café (1 c. à thé) de cumin en poudre
2 c. à soupe (2 c. à table) de jus de citron
Sel

- Faites rôtir les pigeons parés, dans le beurre, dans une cocotte.
- Quand ils sont cuits, retirez-les et réservez le jus de cuisson dans un récipient que vous placez au plus froid du réfrigérateur.
- Désossez les pigeons pour obtenir 400 à 500 g (14 oz à 1 lb) de chair que vous coupez en petites lamelles.
- Épluchez l'oignon doux, coupez-le en rondelles fines et détachez les anneaux.
- Épluchez les oranges à vif. Séparez les tranches et enlevez les membranes qui les séparent. Recueillez le jus perdu pendant cette opération.
- Épluchez les avocats, ouvrez-les en deux et coupez-les en tranches fines. Arrosez-les immédiatement de jus de citron pour qu'ils ne noircissent pas.
- Épluchez, lavez et essorez soigneusement la laitue.
- Faites la sauce en mélangeant vigoureusement à la fourchette tous les éléments.
- Sortez le jus de cuisson des pigeons du réfrigérateur, enlevez la graisse figée qui est au-dessus. Faites tiédir le jus de cuisson pour le liquéfier. Ajoutez le jus d'orange que vous aviez réservé. Ajoutez-les à la sauce et remuez bien.
- Préparez des assiettes individuelles. Mettez les feuilles de coeur de laitue au fond. Disposez tous les éléments de cette salade en un ensemble agréable à l'oeil.
- Servez la sauce à part.

- **Note:** Vous pouvez remplacer les 3 oranges par 2 pamplemousses roses.

190. Magrets de canard et chou rouge en salade

Pour 6 personnes

3 magrets de canard
350 à 400 g (12 à 14 oz) de chou rouge (le coeur)
75 g (2 1/2 oz) de très bon gruyère râpé
1 coeur de laitue romaine
3 c. à café (3 c. à thé) de miel liquide
6 c. à soupe (6 c. à table) de vinaigrette (recette n° 21) au vinaigre de fraise ou
    de framboise (recette n° 9)

- Allumez le gril du four. Enduisez les magrets de miel liquide. Posez-les sur la grille du four quand ce dernier est bien chaud.
- Faites griller les magrets pendant 5 à 6 minutes de chaque côté.
- Laissez-les refroidir.
- Râpez 75 g (2 1/2 oz) de gruyère de bonne qualité (n'utilisez pas du gruyère préalablement râpé en sachets sous vide; ce fromage-là n'est évidemment pas de la meilleure qualité).
- Coupez en très fines lanières le coeur du chou rouge.
- Faites la vinaigrette et imbibez-en immédiatement le chou rouge.
- Épluchez, lavez et essorez soigneusement la laitue romaine.
- Disposez les feuilles dans le plat de service.
- Dans la moitié du plat, placez la salade de chou rouge.
- Coupez les magrets en tranches fines. Salez et poivrez. Aspergez de 1 c. à soupe (1 c. à table) de vinaigrette. Disposez-les en éventail dans l'autre moitié du plat de service.
- Saupoudrez le tout de gruyère râpé.
- Servez sans attendre.

191. Salade d'oie fumée et de cèpes

Pour 6 personnes

**500 à 600 g (1 lb à 1 lb 5 oz) d'oie fumée ou de magret de canard fumé ou, à
   défaut, de jambon fumé**
200 g (7 oz) de cèpes
200 g (7 oz) d'épinards
15 cerneaux de noix
**1/2 tasse à thé (1/2 tasse) de vinaigrette (recette n° 21) à l'huile d'arachide (ou
   de tournesol) et au vinaigre de framboise ou de fraise (recette n° 9)**

- Faites la sauce vinaigrette.
- Équeutez et lavez les épinards. Séchez-les soigneusement. Coupez-les
en larges lanières.
- Nettoyez très soigneusement les cèpes et coupez-les en morceaux.
Faites-les cuire quelques minutes à sec dans une poêle à revêtement
antiadhérent.
- Coupez les tranches de viande fumée en lamelles.
- Répartissez les épinards dans des assiettes individuelles.
- Posez les cèpes sur une moitié de l'assiette.
- Répartissez les tranches de jambon d'oie en éventail sur l'autre moitié.
- Nappez le tout de sauce.
- Décorez avec les cerneaux de noix.

192. Cou d'oie farci en salade

Pour 6 personnes

Suivant l'importance des plats qui suivront cette salade que vous servirez en entrée, prenez:

1 ou 2 cous d'oie farci
200 g (7 oz) de salade de mâche
1 betterave rouge
12 pleurotes (champignons)
1/2 tasse à thé (1/2 tasse) de vinaigrette (recette n° 21) au vinaigre de xérès

Pour décorer:

Quelques brins de cerfeuil frais ou 1 c. à café (1 c. à thé) de cerfeuil séché

- Débarrassez le cou d'oie farci de sa graisse de conservation. (Gardez-la pour faire rissoler de petites pommes de terre).
- Épluchez, lavez et séchez soigneusement la mâche.
- Épluchez la betterave cuite à la vapeur et coupez-la en petits dés.
- Nettoyez les pleurotes et faites-les cuire à sec dans une poêle à revêtement antiadhérent.
- Coupez le cou d'oie farci en rondelles.
- Dans des assiettes individuelles, répartissez au fond la salade de mâche, puis une petite boule de dés de betteraves, les rondelles de cou d'oie et les pleurotes se chevauchant légèrement.
- Aspergez chaque assiette d'une bonne c. à soupe (c. à table) de vinaigrette.
- Décorez avec le cerfeuil.

- **Note:** Votre salade sera plus facile à digérer si vous avez pris le soin de faire tiédir la vinaigrette dans une casserole, en la battant bien à la fourchette, avant de la verser sur les assiettes. Servez aussitôt.

193. Salade d'agneau à la provençale

Pour 6 personnes

400 g (14 oz) d'agneau rôti (épaule ou restes de gigot)
600 g (1 lb 5 oz) de courgettes
1 gousse d'ail
1 c. à soupe (1 c. à table) de persil frais haché ou 1 c. à café (1 c. à thé) de
    persil séché
3 c. à soupe (3 c. à table) d'huile d'olive
1/2 c. à café (1/2 c. à thé) d'herbes de Provence
Sel et poivre

Sauce:

6 c. à soupe (6 c. à table) de vinaigrette au vinaigre de vin (recette n° 21)
1 gousse d'ail écrasée
1/2 c. à café (1/2 c. à thé) d'herbes de Provence

Pour décorer:

1 grosse tomate bien ferme
3 filets d'anchois à l'huile
1 c. à soupe (1 c. à table) de persil frais haché ou 1 c. à café (1 c. à thé) de
    persil séché
1 gousse d'ail

- Épluchez les courgettes et coupez-les en tranches fines.
- Mettez 3 c. à soupe (3 c. à table) d'huile d'olive dans une casserole, à feu doux. Ajoutez les courgettes. Retournez-les souvent et laissez-les étuver une dizaine de minutes. Faites évaporer le liquide de cuisson presque entièrement. Pressez la gousse d'ail, ajoutez-la aux courgettes ainsi que 1 c. à soupe (1 c. à table) de persil frais haché ou 1 c. à café (1 c. à thé) de persil séché. Salez et poivrez. Remuez bien. Retirez du feu et laissez refroidir.
- Faites la sauce en mélangeant à la vinaigrette la gousse d'ail écrasée et les herbes de Provence. Battez énergiquement à la fourchette pour obtenir un bon amalgame.
- Utilisez la moitié de la sauce pour assaisonner l'agneau que vous aurez détaillé en petits dés.

- Disposez les courgettes en couronne. Nappez-les du reste de sauce. Mettez la salade d'agneau au milieu, en dôme.
- Plongez rapidement la tomate dans l'eau bouillante. Pelez-la, épépinez-la et pressez-la pour lui faire exprimer le maximum de son eau de végétation. Coupez la pulpe en très petits dés. Égouttez les 3 filets d'anchois de leur huile. Coupez-les aussi en tout petits morceaux. Mélangez-les aux dés de tomates. Ajoutez l'ail écrasé, l'autre partie du persil haché et saupoudrez toute la salade de ce mélange de hachis.
- Servez frais.

---

194. Salade d'agneau et de concombre

Pour 6 personnes

400 g (14 oz) d'agneau rôti (des restes de gigot seront parfaits)
1 concombre coupé en dés
1 petit poivron vert
100 g (3 oz) d'olives noires dénoyautées et hachées
**1 c. à soupe (1 c. à table) de coriandre fraîche hachée ou 1 c. à café
   (1 c. à thé) de coriandre séchée**
**2 c. à soupe (2 c. à table) de menthe fraîche hachée ou 2 c. à café (2 c. à thé)
   de menthe séchée**
2 c. à soupe (2 c. à table) de vinaigre de vin (ou de jus de citron)
6 c. à soupe (6 c. à table) d'huile d'olive bien fruitée
Sel et poivre

- Coupez l'agneau rôti en tranches fines.
- Pelez le concombre, ouvrez-le en 2 et enlevez les pépins du centre. Coupez la pulpe en petits dés.
- Ouvrez le poivron. Débarrassez-le des pépins et de la membrane blanche qui se trouve à l'intérieur. Coupez-le en fines lanières.
- Hachez les olives noires dénoyautées.
- Faites une vinaigrette avec l'huile d'olive, le vinaigre (ou le jus de citron) le sel et le poivre. Ajoutez les herbes hachées dans la vinaigrette.
- Dans un saladier, mélangez les légumes, les tranchettes de viande et la vinaigrette. Remuez bien. Saupoudrez du hachis d'olives noires.
- Servez frais.

195. Veau et champignons au cerfeuil en salade

Pour 6 personnes

400 g (14 oz) de veau bouilli ou rôti
400 g (14 oz) de champignons de Paris
1 botte de cerfeuil frais ou 1 c. à soupe (1 c. à table) de cerfeuil séché
1 citron
3 c. à soupe (3 c. à table) de crème fraîche épaisse (crème à 35 p. 100)
50 ml (1/4 tasse) de yogourt au naturel
Sel et poivre

- Utilisez des restes de rôti de veau ou du jarret de veau qui aura servi à faire un délicieux pot-au-feu.
- Coupez la viande en tranches fines.
- Coupez le bout sableux des champignons. Essuyez-les soigneusement. Coupez-les en lamelles et arrosez-les immédiatement du jus du citron pour qu'ils ne noircissent pas.
- Si vous utilisez du cerfeuil frais, épluchez-le, lavez-le et laissez-le sécher complètement. Manipulez le cerfeuil avec précaution, c'est une plante fragile.
- Faites une sauce avec la crème, le yogourt et le reste du jus de citron. Salez et poivrez.
- Mélangez la viande et les champignons, nappez de la sauce et remuez le tout soigneusement pour que tous les éléments s'imbibent uniformément de sauce.
- Coupez grossièrement aux ciseaux (jamais au mixer) les feuilles de cerfeuil frais. Parsemez la salade de cerfeuil et servez-la bien fraîche.

196. Boeuf cru en salade (*carpaccio* "à ma façon")

Pour 6 personnes

400 g (14 oz) de filet de boeuf bien dégraissé
1 truffe moyenne (ou 15 à 30 g (1/2 à 1 oz) de pelures de truffe)
150 g (5 oz) de pointes d'asperges
3 branches blanches de céleri
1 coeur de fenouil
40 g (1 1/2 oz) de parmesan râpé
100 ml (env. 1/2 tasse) d'huile d'olive aux truffes (recette n° 16)
Le jus d'un citron
Sel et poivre

- Mettez le filet de boeuf au congélateur (*freezer*) pour qu'il durcisse et devienne ainsi beaucoup plus facile à couper en tranches très fines.
- Faites cuire les pointes d'asperges 10 minutes à la vapeur.
- Lavez les branches de céleri et coupez-les en rondelles.
- Nettoyez et lavez le coeur de fenouil. Coupez-le en très fines lamelles. Mélangez-le aux rondelles de céleri.
- Préparez la sauce en mélangeant l'huile d'olive, le jus de citron, le sel et le poivre.
- Coupez le filet de boeuf en tranches les plus fines possible.
- Disposez ces tranches crues sur le plat de service.
- Saupoudrez-les de parmesan râpé.
- Placez le mélange céleri-fenouil au centre de l'assiette.
- Disposez les tranches de truffe ou les pelures sur la viande.
- Nappez la viande et les légumes avec la sauce et laissez macérer au frais pendant une heure au moins avant de servir.

197. Salade de boeuf et de poivrons

Pour 6 personnes

500 à 600 g (1 lb à 1 lb 5 oz) de boeuf bouilli
300 g (10 oz) de chanterelles (conservées au vinaigre)
2 concombres malossol (à la russe, conservés dans la saumure)
1/2 poivron rouge
1/2 poivron jaune
1/2 poivron vert
2 oeufs durs
2 oignons

Sauce:

6 c. à soupe (6 c. à table) d'huile parfumée à l'estragon (*voir* Huile au basilic,
    p. 36)
2 c. à soupe (2 c. à table) de vinaigre d'estragon (recette n° 3)
1 c. à soupe (1 c. à table) de câpres
1 c. à soupe (1 c. à table) d'estragon frais haché ou 1 c. à café (1 c. à thé)
    d'estragon séché
1/2 c. à soupe (1/2 c. à table) de ciboulette fraîche hachée ou 1/2 c. à café
    (1/2 c. à thé) de ciboulette séchée
Quelques brins de cerfeuil frais ou 1 pincée de cerfeuil séché
1 pincée de paprika
Sel et poivre
1 échalote hachée menu

• Pour obtenir des oeufs durs, faites cuire les oeufs pendant 10 minutes
dans l'eau bouillante. Passez-les sous l'eau froide, écalez-les et coupez-
les en rondelles.
• Coupez le boeuf bouilli en petits morceaux.
• Coupez les cornichons à la russe en rondelles fines. Mélangez-les
avec les morceaux de boeuf.
• Faites la sauce en mélangeant vigoureusement à la fourchette tous les
éléments.
• Versez la sauce sur le mélange boeuf-cornichons et mélangez bien.
• Coupez les poivrons en rondelles minces après avoir enlevé les
pépins et la membrane blanche qui est à l'intérieur.
• Épluchez les oignons, coupez-les en rondelles et détachez les anneaux.
• Mélangez poivrons et oignons à la viande. Mettez au frais pour une ou
deux heures.
• Disposez dans un saladier. Décorez avec les rondelles d'oeufs durs.

198. Filet de boeuf en salade

Pour 6 personnes

6 fonds d'artichaut
400 g (14 oz) de filet de boeuf
1 c. à soupe (1 c. à table) de câpres
6 c. à soupe (6 c. à table) de mayonnaise au citron (recette n° 23)
1 pointe de couteau de cari
Le jus d'un citron
Quelques feuilles de salade pour le décor

- Mettez la tranche de filet au congélateur (*freezer*).
- Faites cuire les artichauts à l'eau bouillante salée. Ils sont cuits quand vous pouvez détacher facilement une feuille prise au hasard.
- Égouttez-les la tête en bas. Enlevez les feuilles et le foin.
- Coupez les fonds en lamelles et arrosez-les aussitôt du jus de citron pour qu'ils ne noircissent pas.
- Faites la mayonnaise (recette n° 23). Rendez-la plus légère en l'additionnant de 2 c. à soupe (2 c. à table) d'eau très chaude.
- Ajoutez les câpres bien égouttées.
- La viande étant bien durcie au congélateur (*freezer*), sortez-la et coupez-la en tranches aussi fines que possible, presque transparentes.
- Dans un plat de service un peu creux, disposez au fond les feuilles de salade verte.
- Répartissez en couronne les lamelles de fonds d'artichaut et les tranchettes de filet de boeuf en les faisant alterner.
- Renversez la mayonnaise au milieu.
- Servez immédiatement.

199. Salade de boeuf aux oignons confits

Pour 6 personnes

400 g (14 oz) de boeuf rôti ou bouilli (utilisez pour cette recette un reste de rôti de boeuf ou un reste de pot-au-feu)
500 g (1 lb) de tout petits oignons (grelots)
3 tomates
2 c. à café (2 c. à thé) de concentré de tomates
1 c. à soupe (1 c. à table) de câpres
1/2 c. à café (1/2 c. à thé) de cassonade (ou de miel)
2 c. à soupe (2 c. à table) de persil frais haché ou 2 c. à café (2 c. à thé) de persil séché
6 c. à soupe (6 c. à table) de vinaigrette (recette n° 21)
Sel et poivre

• Plongez les petits oignons dans l'eau bouillante et blanchissez-les 2 minutes. Égouttez-les, laissez-les refroidir un peu puis épluchez-les.
• Remettez-les dans la casserole avec le concentré de tomates, les câpres, la cassonnade, 2 c. à café (2 c. à thé) de vinaigre de vin, 2 c. à soupe (2 c. à table) d'huile d'olive.
• Pelez les tomates en les plongeant quelques secondes dans l'eau bouillante. Épépinez-les et pressez-les pour en extraire au maximum leur eau de végétation. Coupez-les en petits dés et ajoutez-les dans la casserole. Salez un peu et poivrez bien. Couvrez la casserole et laissez mijoter une dizaine de minutes.
• Coupez le boeuf en petits morceaux. Couvrez-les de vinaigrette et remuez-les pour qu'ils s'en imprègnent bien.
• Disposez les morceaux de boeuf dans un plat et faites une couronne avec les petits oignons.
• Saupoudrez le tout du persil haché. Servez bien frais.

Salades
de fruits
(desserts)

Salades de fruits (desserts)

200. *Fraises à la portugaise*
201. *Fraises au coulis de framboise*
202. *Salade de fruits rouges*
203. *Salade cramoisie*
204. *Salade rose*
205. *Salade de fruits au sorbet de citron*
206. *Salade de fruits à la citronnelle*
207. *Salade dorée au champagne*
208. *Sorbet au melon à la salade de fruits*
209. *Salade d'ananas et de pamplemousse au gingembre*
210. *Salade de fruits exotiques*
211. *Salade de fruits exotiques au sabayon*
212. *Salade du Bosphore*
213. *Salade de poires aux fruits confits*
214. *Salade de pruneaux et de fruits secs*
215. *Salade du chasseur*
216. *Salade de fruits d'hiver*
217. *Salade d'oranges des Antilles*
218. *Salade d'oranges et de goyaves*

200. Fraises à la portugaise

Pour 6 personnes

750 g (1 lb 10 oz) de fraises
300 g (10 oz) de lait concentré sucré (lait condensé)
150 ml (2/3 tasse) de porto
300 g (10 oz) de crème fouettée
Le jus d'un citron

• Lavez, égouttez et équeutez les fraises. Arrosez-les du jus d'un demi-citron.
• Mélangez au mixer le lait condensé et le porto.
• Mettez les fraises dans une coupe, versez le lait au porto par-dessus, mélangez bien et laissez macérer au frais pendant une heure au moins.
• Battez la crème fraîche en crème fouettée sucrée de 2 c. à soupe (2 c. à table) de sucre en poudre. Parfumez du jus du demi-citron qui reste.
• Servez la crème et les fraises séparément.

201. Fraises au coulis de framboise

Pour 6 personnes

700 g (1 1/2 lb) de fraises
400 g (14 oz) de framboises
1 citron
3 c. à soupe (3 c. à table) de sucre en poudre

- Écrasez les framboises, arrosez-les du jus de citron et ajoutez le sucre en poudre.
- Laissez fondre le sucre dans le jus de framboise.
- Passez cette purée à travers un tamis (obligatoirement en acier inoxydable ou en nylon, toute autre matière ternirait la couleur des fruits et risquerait de leur donner mauvais goût).
- Lavez, égouttez les fraises et équeutez-les.
- Disposez-les dans un plat assez creux. Nappez-les du coulis de framboise et réservez au frais pendant une heure ou deux.

- **Note:** Vous pouvez décorer cette salade avec une ou deux feuilles de menthe fraîche.

Variante
- Vous pouvez remplacer les fraises par des pêches blanches bien mûres, ou des abricots, ou des fraises des bois.
- Vous pouvez aussi corser ce dessert en présentant en même temps de la glace à la vanille, ou un sorbet au citron, ou aux fruits de la Passion, ou — ce qui est particulièrement rafraîchissant — un sorbet à la menthe.

202. Salade de fruits rouges

Pour 6 personnes

200 g (7 oz) de fraises
200 g (7 oz) de framboises
200 g (7 oz) de groseilles rouges
2 c. à soupe (2 c. à table) de miel liquide
150 ml (5 oz) de bon vin rouge
Le jus d'un citron
1 c. à soupe (1 c. à table) d'arrow-root (ou de maïzena)

• Versez le miel, le vin et le jus de citron dans une casserole. Ajoutez les groseilles rouges. Portez à ébullition, couvrez et laissez frémir 10 minutes.

• Passez les fruits et réservez le sirop. Lavez les fraises, égouttez-les soigneusement et équeutez-les. Vérifiez les framboises pour éliminer les fruits abîmés, car les framboises s'écrasent vite et pourrissent.

• Mettez tous les fruits dans une coupe.

• Remettez le sirop où ont poché les groseilles sur le feu et portez à ébullition. Délayez l'arrow-root dans un peu d'eau et versez-le dans le sirop. Faites cuire sans cesser de remuer. Il est cuit quand le sirop est devenu transparent.

• Nappez-en immédiatement les fruits et laissez refroidir, puis mettez au réfrigérateur pour 1 heure environ.

• **Note:** Vous pouvez accompagner cette salade de crème fouettée.

203. Salade cramoisie

Pour 6 personnes

150 à 200 g (5 à 7 oz) de cassis
200 g (7 oz) de myrtilles (bleuets)
3 pêches de vigne
4 figues violettes
1 grappe de raisin muscat
200 ml (env. 7 oz) de bon vin rouge de Bourgogne (toutefois pas un grand cru)
80 ml (env. 1/3 tasse) de liqueur de cassis
50 g (2 oz) de sucre en poudre

- Égrappez le cassis.
- Enlevez les feuilles qui pourraient rester dans les myrtilles et lavez-les. Égouttez-les soigneusement.
- Lavez le raisin muscat et égrappez-le.
- Essuyez les figues violettes. Coupez-les en 6 morceaux.
- Pelez les pêches de vigne au-dessus de la coupe de service et coupez-les en tranches.
- Mélangez bien le vin et le sucre jusqu'à ce que le sucre ait fondu. Ajoutez la liqueur de cassis.
- Mélangez soigneusement tous les fruits dans le saladier. Versez le sirop froid dessus et mélangez encore.
- Laissez reposer au frais pendant 1 heure au moins, en remuant de temps en temps.

204. Salade rose

Pour 6 personnes

200 g (7 oz) de fraises des bois
200 g (7 oz) de framboises
200 g (7 oz) de fraises
200 g (7 oz) de groseilles rouges
100 ml (env. 1/2 tasse) de vin blanc sucré
Le jus d'un demi-citron
100 g (3 oz) de sucre en poudre
1 pincée de baies lyophilisées de poivre rose
2 c. à soupe (2 c. à table) de porto blanc

- Faites bouillir pendant 5 minutes le vin blanc, le sucre et les grains de poivre rose. Filtrez. Ajoutez le jus de citron et le porto blanc.
- Dans un saladier, épluchez les fraises des bois. Lavez-les, si nécessaire. Sinon, secouez-les doucement, à sec, dans une passoire à gros trous, cela suffit généralement pour en faire tomber les petites traces de terre ou les brindilles.
- Vérifiez les framboises et ajoutez-les aux fraises des bois.
- Lavez les fraises, égouttez-les très soigneusement et équeutez-les. Mettez-les aussi dans le saladier.
- Égrappez les groseilles rouges.
- Nappez avec le sirop. Remuez soigneusement mais complètement pour que chaque fruit soit imprégné de sirop.
- Mettez au frais pendant 1 heure au moins, en remuant de temps en temps.

205. Salade de fruits au sorbet de citron

Pour 6 personnes

3 nectarines (ou brugnons)
1 ou 2 poires williams (suivant leur grosseur)
350 g (12 oz) de fraises
3 pêches
2 ou 3 oranges (suivant leur grosseur)
1 belle grappe de raisin
Le jus d'un demi-citron

Coulis:

225 g (7 1/2 oz) de framboises (fraîches ou surgelées)
175 g (6 oz) de sucre glace
Le jus d'un demi-citron

Sorbet de citrons verts:

4 citrons verts
200 g (7 oz) de sucre glace
1 blanc d'oeuf

Pour décorer:

Quelques feuilles de menthe fraîche

- Faites d'abord le sorbet de citrons verts en les pelant à vif, puis en enlevant les peaux blanches des tranches et les pépins de façon à n'avoir plus que la pulpe. Passez cette pulpe au mixer en lui ajoutant le sucre glace.
- Battez au fouet le blanc d'oeuf. Incorporez au jus de citron et faites prendre au *freezer*, au congélateur ou en sorbetière.
- Préparez le coulis en réduisant les framboises en purée à l'aide du mixer. Passez cette purée au tamis (obligatoirement en acier inoxydable) pour en retirer les pépins. Ajoutez au jus ainsi obtenu le sucre et le jus du demi-citron. Battez de nouveau au mixer et réservez au frais au réfrigérateur.

- Préparez les fruits peu de temps avant de passer à table. Pour cela, lavez les fraises, laissez-les égoutter puis équeutez-les.
- Lavez les raisins et égrappez-les.
- Pelez à vif les oranges et enlevez les peaux blanches qui séparent les tranches. Réservez le jus perdu au cours de cette opération. Épluchez les nectarines et les poires williams et coupez-les en lamelles. Arrosez les tranches de poires avec le jus des oranges.
- Gardez les fruits épluchés au frais.
- Au moment de servir, disposez dans les assiettes individuelles le coulis de framboise au fond, une ou deux boules de sorbet au citron au centre, les fruits par association de couleur en petites boules tout autour.
- Décorez avec une ou deux feuilles de menthe fraîche.

206. Salade de fruits à la citronnelle

Pour 6 personnes

1 ou 2 poires
1 belle pomme à peau verte (granny smith)
1 petit melon d'Espagne
200 g (7 oz) de raisin dattier
2 ou 3 kiwis
225 ml (7 1/2 oz) de jus de pomme
1 c. à soupe (1 c. à table) de miel liquide
3 c. à soupe (3 c. à table) de Chartreuse verte
1 c. à soupe (1 c. à table) rase de feuilles de citronnelle fraîche coupées aux ciseaux

• Faites tiédir le jus de pomme et le miel dans une casserole pour pouvoir les mélanger plus facilement. Hors du feu, ajoutez la Chartreuse verte (supprimez la liqueur si des enfants doivent profiter de ce dessert).
• Mettez ce sirop dans le saladier de service.
• Épluchez tous les fruits au-dessus du saladier pour en recueillir le jus.
• Émincez les tranches de pomme et de poires. Coupez les kiwis en lamelles, et le melon en dés. Épluchez les grains de raisin.
• Remuez tous les éléments de la salade avec précaution pour qu'ils s'imbibent bien du jus.
• Laissez macérer au frais pendant 1 heure, en remuant de temps en temps.
• Au moment de servir, bien frais, saupoudrez des feuilles de citronnelle hachée menu aux ciseaux (pas au mixer).

207. Salade dorée au champagne

Pour 6 personnes

1 melon
3 pêches jaunes
10 abricots bien mûrs
1 petit ananas
2 oranges
200 g (7 oz) de sucre
1 bâton de cannelle
225 ml (7 1/2 oz) de vin blanc
1/2 bouteille de champagne

• Mettez le vin blanc dans une casserole, à feu doux. Faites-y infuser la cannelle pendant 10 minutes. Ajoutez le sucre et laissez fondre.

• Pendant ce temps, prélevez le zeste des oranges, coupez-le en tout petits morceaux et mettez-les cuire dans la casserole. Mélangez bien et laissez cuire 2 minutes. Laissez refroidir. Filtrez pour éliminer les débris du bâton de cannelle.

• Pelez les pêches au-dessus du saladier ou de la coupe de service pour recueillir le jus. Coupez les pêches en petits morceaux.

• Lavez les abricots, dénoyautez-les et coupez-les en quartiers.

• Pelez à vif l'ananas, coupez-le en tranches, enlevez le coeur trop dur et coupez les tranches en petits cubes.

• Pelez les oranges à vif et enlevez les membranes blanches qui séparent les tranches.

• Coupez le melon en 2 et enlevez les graines du centre. Avec un instrument spécial (ou une cuillère à café (cuillère à thé) retirez la pulpe en formant de petites boules.

• Mélangez bien tous ces fruits dans le saladier.

• Ajoutez tout ou partie de la 1/2 bouteille de champagne dans le sirop à la cannelle. Mélangez bien. Versez le sirop sur la salade de fruits. Ajoutez éventuellement le reste du champagne.

• Mettez au frais pendant 1 heure avant de servir, en remuant de temps en temps le mélange.

208. Sorbet au melon à la salade de fruits

Pour 6 personnes

Sorbet:

1 beau melon
400 g (14 oz) de sucre glace
Le jus d'un demi-citron

Coulis:

400 g (14 oz) de cassis
Le jus d'un demi-citron
200 g (7 oz) de sucre en poudre

Pour la salade:

6 petits melons
1 orange
150 g (5 oz) de fraises des bois
2 pêches abricots
150 g (5 oz) de framboises

• Ouvrez le melon en deux, puis enlevez les filaments et les graines. Recueillez la pulpe et le jus, broyez au mixer avec le jus du demi-citron et le sucre glace.

• Mettez au *freezer* ou au congélateur dans une sorbetière électrique (à défaut, mettez au *freezer* ou au congélateur et sortez la préparation de temps en temps pour bien la battre à la fourchette, évitant ainsi la formation de paillettes de glace).

• Faites ensuite le coulis de cassis.

• Lavez et égrappez le cassis. Mettez-le, non égoutté, dans une casserole, à feu vif, et faites-le "suer" en remuant tout le temps et en surveillant bien. Quand le cassis commence à s'écraser, passez-le au mixer puis à travers un tamis (obligatoirement en acier inoxydable ou en nylon, toute autre matière risquant de communiquer un mauvais goût à votre purée de fruits).

• Mélangez la purée obtenue avec le jus du demi-citron qui reste et le sucre glace fondu dans quelques cuillerées d'eau. Réservez au frais.

• Dans un saladier, mélangez la chair des petits melons (débarrassée des filaments et des graines), les framboises, les fraises des bois, l'orange pelée à vif et coupée en très fines rondelles, les pêches abricots pelées et détaillées en petits dés. Mélangez bien tous les éléments de cette salade de fruits.

- Préparez des assiettes (ou de petites coupes) individuelles.
- Posez une boule de sorbet au melon sur chaque assiette, entourez de la salade de fruits et nappez de coulis de cassis.

- **Note:** Si vous voulez parfaire votre dessert, saupoudrez de quelques amandes effilées et grillées à sec dans une poêle, ou surmontez le sorbet d'une ou deux feuilles de menthe fraîche.

209. Salade d'ananas et de pamplemousse au gingembre

Pour 6 personnes

1 bel ananas
2 pamplemousses
2 c. à soupe (2 c. à table) de miel liquide
Le jus d'un citron
1 racine de gingembre (ou 2 c. à café (2 c. à thé) de gingembre en poudre)
2 c. à soupe (2 c. à table) d'eau de rose (comestible)

- Dans une casserole, faites fondre à feu doux le miel additionné du jus d'un citron et de la racine de gingembre pelée et coupée en petits dés (à défaut, utilisez du gingembre en poudre).
- Laissez bouillir à feu très doux pendant 5 minutes en surveillant beaucoup.
- Pelez à vif l'ananas. Retirez le coeur ligneux. Coupez la chair en petits cubes. Recueillez le jus que vous mettez dans la coupe de service.
- Pelez à vif les pamplemousses et retirez les membranes blanches qui séparent les tranches. Recueillez aussi le jus.
- Mélangez les fruits dans la coupe.
- Versez dessus le sirop au gingembre encore chaud et remuez bien, pour que le mélange se fasse facilement entre le sirop et le jus des fruits.
- Laissez au frais pendant 1 heure au moins en remuant de temps en temps.

- **Note:** Vous pouvez orner cette salade de feuilles de menthe fraîche.

210. Salade de fruits exotiques

Pour 6 personnes

1 papaye
1 mangue
2 kiwis
1 pamplemousse rose
Le jus d'un citron vert
2 c. à soupe (2 c. à table) de sucre en poudre

Pour décorer:

Quelques rondelles de citron vert

• Coupez la papaye en quartiers. Retirez les graines. Pelez-la et émincez la chair dans la coupe de service.
• Arrosez-la immédiatement de jus de citron.
• Pelez à vif le pamplemousse et retirez la membrane blanche qui sépare les tranches. Ajoutez les tranches dans la coupe, ainsi que le jus perdu au cours de l'épluchage.
• Ouvrez la mangue en deux, retirez le noyau et détaillez sa chair en petits morceaux. Faites cette opération au-dessus de la coupe.
• Mélangez vivement tous les fruits, saupoudrez de sucre en poudre et laissez au frais une ou deux heures en remuant de temps en temps.
• Au moment de servir, épluchez les kiwis, coupez-les en rondelles et disposez-les en décor sur la salade, ainsi que les rondelles de citron vert.

• **Note:** Évitez d'éplucher les kiwis trop longtemps à l'avance, ils perdent rapidement leur teneur en vitamine C au contact de l'air.

211. Salade de fruits exotiques au sabayon

Pour 6 personnes

Le jus d'un demi-citron
1 ananas
150 g (5 oz) de fraises
1 mangue
1 banane
1 grappe de raisin muscat
3 kiwis
2 c. à café (2 c. à thé) de sucre en poudre

Sabayon:

3 jaunes d'oeufs
150 ml (2/3 tasse) de vin blanc
125 g (4 oz) de sucre
Le jus d'un demi-citron

- Ouvrez l'ananas par le milieu dans le sens de la longueur de façon à avoir deux barquettes surmontées chacune de la moitié du plumet de feuilles.
- Détaillez l'ananas en petits dés après avoir enlevé le coeur dur.
- Coupez les kiwis épluchés en lamelles.
- Épluchez la mangue et coupez-la en petits dés.
- Lavez le raisin et égrappez-le.
- Lavez les fraises, laissez-les bien égoutter et équeutez-les. Coupez les plus grosses en 2 ou en 4 morceaux. Saupoudrez-les d'un peu de sucre en poudre.
- Épluchez la banane et coupez-la en rondelles.
- Mélangez kiwis, fraises et banane et arrosez du jus d'un demi-citron. Ajoutez les autres fruits. Mélangez bien, répartissez dans les deux moitiés d'ananas et réservez au frais.
- Faites le sabayon en travaillant vigoureusement au fouet dans une casserole posée dans un bain-marie le sucre en poudre et les 3 jaunes d'oeufs jusqu'à ce que la composition fasse le ruban. Ajoutez alors le vin blanc et fouettez sur le côté du feu jusqu'à ce que le mélange soit devenu mousseux et épais. Parfumez avec le jus du demi-citron qui reste.
- Allumez le gril.
- Dans un plat allant au feu, posez les moitiés d'ananas garnies de la salade de fruits. Nappez-les avec le sabayon et faites gratiner au gril jusqu'à ce qu'il présente une légère coloration.

212. Salade du Bosphore

Pour 6 personnes

1 melon bien mûr
1 petite pastèque
10 figues fraîches bien mûres
150 g (5 oz) de raisins secs
1 grappe de raisin muscat
2 c. à soupe (2 c. à table) de sucre en poudre
Le jus d'un demi-citron
100 ml (env. 1/2 tasse) de raki (eau-de-vie turque à l'anis)

- Faites tremper les raisins secs dans le raki.
- Pendant ce temps, ouvrez le melon et la pastèque en 2. Enlevez le coeur et les graines. Détaillez la chair en petits dés.
- Mettez-les dans un saladier avec le jus perdu pendant cette opération.
- Épluchez les figues et ouvrez-les en 6 portions, mais sans les détacher du pédoncule.
- Égrappez le raisin et mettez les grains avec les dés de melon.
- Saupoudrez de sucre en poudre. Mélangez bien.
- Ajoutez les raisins et le raki dans lequel ils ont macéré. Remuez à nouveau.
- Décorez avec les figues ouvertes en fleur.
- Réservez au frais jusqu'au moment de servir.

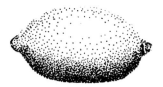

213. Salade de poires aux fruits confits

Pour 6 personnes

8 belles poires williams
200 g (7 oz) de fruits confits coupés en petits dés
50 g (2 oz) de raisins secs
500 g (1 lb) de framboises (ou 0,5 litre (2 tasses) de coulis de framboise si vous
en avez conservé au congélateur)
500 g (1 lb) de sucre
50 ml (1/4 tasse) d'alcool de framboise

- Préparez ce dessert **la veille**.
- Faites fondre le sucre dans une casserole avec 225 ml (7 1/2 oz) d'eau. Portez à ébullition et faites cuire tout doucement pendant 10 minutes.
- Pendant ce temps, épluchez les poires et coupez-les en quartiers. Mettez-les à cuire dans le sirop de sucre pendant 10 minutes.
- Retirez les poires et laissez-les dans le sirop. Conservez au frais.
- Faites macérer les fruits confits coupés en petits dés dans l'alcool de framboise.
- Faites gonfler les raisins secs dans le thé chaud et au bout de 10 minutes, égouttez-les et ajoutez-les aux fruits confits.
- Deux heures avant de servir, sortez les poires de leur sirop et égouttez-les.
- Écrasez les framboises à la fourchette et mélangez-les au sirop de cuisson des poires. Si vous trouvez que votre purée de framboises devient trop liquide, ne mettez qu'une partie du sirop.
- Dans une coupe, mélangez les poires coupées en dés, les fruits confits et les raisins secs et leur alcool de macération.
- Nappez du coulis de framboise et laissez au frais jusqu'au moment de servir.

214. Salade de pruneaux et de fruits secs

Pour 6 personnes

300 g (10 oz) de pruneaux
250 g (8 oz) d'abricots secs
150 g (5 oz) de raisins secs
1/2 bouteille de bon vin rouge
1 bâton de cannelle
2 clous de girofle
1 gousse de vanille
1/2 c. à café (1/2 c. à thé) de noix muscade râpée
1/2 c. à café (1/2 c. à thé) de gingembre en poudre
100 g (3 oz) de sucre en poudre
1 orange

• Enlevez les noyaux des pruneaux.
• Mettez-les dans une casserole, avec les abricots et les raisins secs. Versez dessus le vin rouge et le sucre.
• Mettez les épices dans un morceau de toile bien propre et liez-le avec une ficelle de façon que les épices ne puissent pas se répandre dans le liquide (c'est ce qu'on appelle un nouet).
• Mettez aussi le nouet dans la casserole.
• Il faut que le liquide recouvre les fruits, mais à peine.
• Portez lentement à ébullition.
• Retirez le zeste de l'orange, coupez-le en très petits morceaux et mettez-les à cuire dans le vin aromatisé.
• Laissez mijoter le tout pendant 10 à 15 minutes. Arrêtez la cuisson et laissez refroidir dans la casserole.
• Retirez le nouet et pressez-le dans vos mains pour en extraire le vin qu'il a absorbé, libérant ainsi également le maximum de la saveur des épices.
• Coupez l'orange dont vous avez utilisé le zeste en très fines rondelles.
• Placez vos fruits au vin dans une coupe, décorez avec les rondelles d'orange et mettez au frais pour plusieurs heures (même une journée).

215. Salade du chasseur

Pour 6 personnes

500 à 600 g (1 lb à 1 lb 5 oz) de mûres (ronces)
500 g (1 lb) de myrtilles (bleuets)
400 g (14 oz) de framboises
4 c. à soupe (4 c. à table) de sucre en poudre
Le jus d'un citron
10 cerneaux de noix (ou des noisettes concassées)

• Ce dessert est appelé "salade du chasseur" parce que les chasseurs de la maison, quand ils se rendaient compte qu'ils allaient rentrer "bredouilles", essayaient de se faire pardonner en rapportant à la maîtresse de maison des mûres et des myrtilles.
• Lavez les myrtilles et débarrassez-les des petites feuilles cueillies en même temps. Laissez-les égoutter.
• Mettez dans le plat de service les mûres, les myrtilles et les framboises, arrosez du jus du citron, saupoudrez de sucre et remuez bien. Laissez macérer au frais pendant plusieurs heures.
• Décorez au moment de servir avec des cerneaux de noix, ou concassez des noisettes décortiquées et faites-les griller dans une poêle, à sec, jusqu'à ce que les morceaux soient bien dorés.

216. Salade de fruits d'hiver

Pour 6 personnes

2 pommes de reinette
2 poires passe-crassane
2 bananes bien mûres
2 oranges
1 pamplemousse rose
3 c. à soupe (3 c. à table) de noisettes décortiquées et grossièrement con-
    cassées
100 g (3 oz) de sucre en poudre
2 c. à soupe (2 c. à table) de kirsch ou d'eau-de-vie de mirabelle

• Commencez par peler à vif les oranges et le pamplemousse au-dessus de la coupe de service pour en recueillir le jus. Enlevez les membranes blanches qui séparent les tranches.

• Pelez ensuite les pommes et les poires. Coupez-les en tranches et mélangez-les immédiatement aux oranges et pamplemousse dont le jus acide empêchera les pommes et poires de noircir.

• Épluchez la banane et coupez-la en rondelles. Mélangez-la aussi immédiatement aux autres fruits, pour la même raison.

• Saupoudrez de sucre en poudre.

• Aspergez avec les 2 c. à soupe (2 c. à table) d'alcool. Remuez bien. Laissez macérer au frais plusieurs heures en remuant de temps en temps.

• Peu de temps avant de servir, concassez grossièrement les noisettes. Faites-les griller à sec dans une poêle jusqu'à ce que les petits morceaux soient dorés et saupoudrez-en la salade.

217. Salade d'oranges des Antilles

Pour 6 personnes

6 oranges juteuses
3 bananes
3 c. à soupe (3 c. à table) de sucre en poudre
1 c. à soupe (1 c. à table) de cannelle
2 c. à soupe (2 c. à table) de rhum vieux agricole
1 noix de coco

• Pelez à vif les oranges et enlevez les membranes qui séparent les tranches. Recueillez le jus perdu au cours de cette opération.
• Pelez les bananes et coupez-les en rondelles. Mélangez-les immédiatement aux tranches d'oranges pour qu'elles ne noircissent pas.
• Saupoudrez de sucre en poudre.
• Ouvrez la noix de coco, mélangez son lait avec le rhum vieux. Versez-le sur la salade de fruits. Laissez au frais 1 heure au moins.
• Au moment de servir, râpez la chair de la moitié de la noix de coco et saupoudrez-en la salade.

218. Salade d'oranges et de goyaves

Pour 6 personnes

3 oranges
400 g (14 oz) de goyaves au naturel en conserve
2 kiwis
2 fruits de la Passion
2 c. à soupe (2 c. à table) d'eau de fleur d'oranger
2 c. à soupe (2 c. à table) de rhum vieux agricole
300 g (10 oz) de crème fouettée sucrée

- Pelez les oranges à vif et enlevez les membranes qui séparent les tranches. Recueillez le jus dans la coupe de service, avec le jus des goyaves et des fruits de la Passion.
- Ouvrez les fruits de la Passion et prélevez la chair que vous couperez en petits morceaux.
- Coupez les goyaves en quartiers.
- Arrosez avec l'eau de fleur d'oranger et le rhum vieux. Laissez macérer une heure au frais.
- Fouettez la crème en la sucrant avec 2 c. à soupe (2 c. à table) de sucre en poudre.
- Au moment de servir, épluchez les kiwis, coupez-les en rondelles et décorez votre salade avec ces fruits.
- Servez la crème fouettée à part.

Index alphabétique des recettes par catégories

Avis: les numéros donnés sont ceux correspondant aux recettes et non aux pages.

260

261

262

Index des recettes
par ordre alphabétique

Avis: les numéros donnés sont ceux correspondant aux recettes et non aux pages.

Table des matières

Ouvrages parus chez les éditeurs du groupe Sogides

LES EDITIONS DE L'HOMME

ANIMAUX

* **Art du dressage, L',** Chartier Gilles
Bien nourrir son chat, D'Orangeville Christian
Cheval, Le, Leblanc Michel
Chien dans votre vie, Le, Margolis Matthew et Swan Marguerite
* **Éducation du chien de 0 à 6 mois, L',** DeBuyser Dr Colette et Dr Dehasse Joël
Encyclopédie des oiseaux, Godfrey W. Earl
Mammifères de mon pays, Duchesnay St-Denis J. et Dumais Rolland
* **Mon chat, le soigner, le guérir,** D'Orangeville Christian
Observations sur les mammifères, Provencher Paul
Papillons du Québec, Veilleux Christian et Prévost Bernard
Petite ferme, T. 1, Les animaux, Trait Jean-Claude

Vous et votre berger allemand, Eylat Martin
Vous et votre boxer, Herriot Sylvain
Vous et votre caniche, Shira Sav
Vous et votre chat de gouttière, Gadi Sol
Vous et votre chow-chow, Pierre Boistel
Vous et votre doberman, Denis Paula
Vous et votre husky, Eylat Martin
Vous et votre labrador, Van Der Heyden Pierre
Vous et vos oiseaux de compagnie, Huard-Viau Jacqueline
Vous et votre persan, Gadi Sol
Vous et votre setter anglais, Eylat Martin
Vous et vos poissons d'aquarium, Ganiel Sonia
Vous et votre siamois, Eylat Odette

ARTISANAT/ARTS MÉNAGERS

Appareils électro-ménagers, Prentice-Hall of Canada
* **Art du pliage du papier,** Harbin Robert
Artisanat québécois, T. 1, Simard Cyril
Artisanat québécois, T. 2, Simard Cyril
Artisanat québécois, T. 3, Simard Cyril
Artisanat québécois, T.4, Simard Cyril, Bouchard Jean-Louis
Bon Fignolage, Le, Arvisais Dolorès A.
Coffret artisanat, Simard Cyril
Comment aménager une salle
Comment utiliser l'espace
Construire sa maison en bois rustique, Mann D. et Skinulis R.

Crochet Jacquard, Le, Thérien Brigitte
Cuir, Le, Saint-Hilaire Louis et Vogt Walter
Décapage-rembourrage
Décoration intérieure, La,
Dentelle, T. 1, La, De Seve Andrée-Anne
Dentelle, T. 2, La, De Seve Andrée-Anne
Dessiner et aménager son terrain, Prentice-Hall of Canada
Encyclopédie de la maison québécoise, Lessard Michel

Encyclopédie des antiquités, Lessard Michel

Entretenir et embellir sa maison, Prentice-Hall of Canada

Entretien et réparation de la maison, Prentice-Hall of Canada

Guide du chauffage au bois, Flager Gordon

J'apprends à dessiner, Nash Joanna

Je décore avec des fleurs, Bassili Mimi

J'isole mieux, Eakes Jon

Mécanique de mon auto, La, Time-Life Book

Menuiserie, La, Prentice-Hall of Canada

* Noeuds, Les, Shaw George Russell

Outils manuels, Les, Prentice-Hall of Canada

Petits appareils électriques, Prentice-Hall of Canada

Piscines, barbecues et patio

Terre cuite, Fortier Robert

Tissage, Le, Grisé-Allard Jeanne et Galarneau Germaine

Tout sur le macramé, Harvey Virginia L.

Trucs ménagers, Godin Lucille

Vitrail, Le, Bettinger Claude

ART CULINAIRE

À table avec soeur Angèle, Soeur Angèle

Art d'apprêter les restes, L', Lapointe Suzanne

Art de la cuisine chinoise, L', Chan Stella

Art de la table, L', Du Coffre Marguerite

Barbecue, Le, Dard Patrice

Bien manger à bon compte, Gauvin Jocelyne

Boîte à lunch, La, Lambert-Lagacé Louise

Brunches & petits déjeuners en fête, Bergeron Yolande

Cheddar, Le, Clubb Angela

Cocktails & punchs au vin, Poister John

Cocktails de Jacques Normand, Normand Jacques

Coffret la cuisine

Confitures, Les, Godard Misette

Congélation de A à Z, La, Hood Joan

Congélation des aliments, Lapointe Suzanne

Conserves, Les, Sansregret Berthe

Cornichons, Ketchups et Marinades, Chesman Andrea

Cuisine au wok, Solomon Charmaine

Cuisine chinoise, La, Gervais Lizette

Cuisine de Pol Martin, Martin Pol

Cuisine facile aux micro-ondes, Saint-Amour Pauline

Cuisine joyeuse de soeur Angèle, La, Soeur Angèle

Cuisine micro-ondes, La, Benoit Jehane

Cuisine santé pour les aînés, Hunter Denyse

Cuisiner avec le four à convection, Benoit Jehane

Cuisinez selon le régime Scarsdale, Corlin Judith

Faire son pain soi-même, Murray Gill Janice

Faire son vin soi-même, Beaucage André

Fondues & flambées de maman Lapointe, Lapointe Suzanne

Fondues, Les, Dard Patrice

Guide canadien des viandes, Le, App. & Services Canada

Muffins, Les, Clubb Angela

Nouvelle cuisine micro-ondes, La, Marchand Marie-Paul et Grenier Nicole

Nouvelle cuisine micro-ondes II, La, Marchand Marie-Paul, Grenier Nicole

Pâtes à toutes les sauces, Les, Lapointe Lucette

Pâtés et galantines, Dard Patrice

Pâtisserie, La, Bellot Maurice-Marie

Pizza, La, Dard Patrice

Poissons et fruits de mer, Sansregret Berthe

Recettes au blender, Huot Juliette

Recettes canadiennes de Laura Secord, Canadian Home Economics Association

Recettes de gibier, Lapointe Suzanne

Recettes de maman Lapointe, Les, Lapointe Suzanne

Recettes Molson, Beaulieu Marcel

Robot culinaire, Le, Martin Pol

Salades, sandwichs, hors-d'oeuvre, Martin Pol

BIOGRAPHIES POPULAIRES

Boy George, Ginsberg Merle
Daniel Johnson, T. 1, Godin Pierre
Daniel Johnson, T. 2, Godin Pierre
Daniel Johnson — Coffret, Godin Pierre
Dans la fosse aux lions, Chrétien Jean
Duplessis, T. 1 — L'ascension, Black Conrad
Duplessis, T. 2 — Le pouvoir, Black Conrad
Duplessis — Coffret, Black Conrad
Dynastie des Bronfman, La, Newman Peter C.
Establishment canadien, L', Newman Peter C.
Frère André, Le, Lachance Micheline
Mastantuono, Mastantuono Michel
Maurice Richard, Pellerin Jean
Mulroney, Macdonald L.I.
Nouveaux Riches, Les, Newman Peter C.
Prince de l'Église, Le, Lachance Micheline
Saga des Molson, La, Woods Shirley

DIÉTÉTIQUE

Contrôlez votre poids, Ostiguy Dr Jean-Paul
* **Cuisine sage,** Lambert-Lagacé Louise
Diététique dans la vie quotidienne, Lambert-Lagacé Louise
* **Maigrir en santé,** Hunter Denyse
* **Menu de santé,** Lambert-Lagacé Louise
Nouvelle cuisine santé, Hunter Denyse
Oubliez vos allergies et... bon appétit, Association de l'information sur les allergies
Petite & grande cuisine végétarienne, Bédard Manon
Plan d'attaque Weight Watchers, Le, Nidetch Jean
Recettes pour aider à maigrir, Ostiguy Dr Jean-Paul
* **Régimes pour maigrir,** Beaudoin Marie-Josée
Sage Bouffe de 2 à 6 ans, La, Lambert-Lagacé Louise
Weight Watchers — cuisine rapide et savoureuse, Weight Watchers
Weight Watchers-Agenda 85 — Français, Weight Watchers
Weight Watchers-Agenda 85 — Anglais, Weight Watchers

DIVERS

* **Acheter ou vendre sa maison,** Brisebois Lucille
* **Acheter et vendre sa maison ou son condominium,** Brisebois Lucille
* **Bourse, La,** Brown Mark
Chaînes stéréophoniques, Les, Poirier Gilles
* **Choix de carrières, T. 1,** Milot Guy
* **Choix de carrières, T. 2,** Milot Guy
* **Choix de carrières, T. 3,** Milot Guy
* **Comment rédiger son curriculum vitae,** Brazeau Julie
Conseils aux inventeurs, Robic Raymond
* **Dictionnaire économique et financier,** Lafond Eugène
* **Faire son testament soi-même,** Me Poirier Gérald, Lescault Nadeau Martine (notaire)
* **Faites fructifier votre argent,** Zimmer Henri B.
* **Guide de la haute-fidélité, Le,** Prin Michel
* **Je cherche un emploi,** Brazeau Julie
* **Loi et vos droits, La,** Marchand Paul-Émile
* **Règles d'or de la vente, Les,** Kahn George N.
* **Roulez sans vous faire rouler, T. 3,** Edmonston Philippe
Savoir vivre aujourd'hui, Fortin Jacques Marcelle
Séjour dans les auberges du Québec, Cazelais Normand, Coulon Jacques
Stratégies de placements, Nadeau Nicole
Temps des fêtes au Québec, Le, Montpetit Raymond
Tenir maison, Gaudet-Smet Françoise
* **Tout ce que vous devez savoir sur le condominium,** Dubois Robert
Univers de l'astronomie, L', Tocquet Robert
Vente, La, Hopkins Tom
Votre système vidéo, Boisvert Michel, Lafrance André A.
* **Week-end à New York,** Tavernier-Cartier Lise

ENFANCE

* **Aider son enfant en maternelle,** Pedneault-Pontbriand Louise
* **Aidez votre enfant à lire et à écrire,** Doyon-Richard Louise
Aidez votre enfant à lire et à écrire, Doyon-Richard Louise
Alimentation futures mamans, Gougeon Réjeanne et Sekely Trude
Années clés de mon enfant, Les, Caplan Frank et Theresa
Art de l'allaitement maternel, L', Ligue internationale La Leche
* **Autorité des parents dans la famille,** Rosemond John K.
Avoir des enfants après 35 ans, Robert Isabelle
Comment amuser nos enfants, Stanké Louis
* **Comment nourrir son enfant,** Lambert-Lagacé Louise
Deuxième année de mon enfant, La, Caplan Frank et Theresa
* **Développement psychomoteur du bébé,** Calvet Didier
Douze premiers mois de mon enfant, Les, Caplan Frank
* **En attendant notre enfant,** Pratte-Marchessault Yvette
* **Encyclopédie de la santé de l'enfant,** Feinbloom Richard I.
Enfant stressé, L', Elkind David
Enfant unique, L', Peck Ellen
Femme enceinte, La, Bradley Robert A.
Fille ou garçon, Langendoen Sally, Proctor William

* **Frères-soeurs,** Mcdermott Dr John F. Jr.
Futur père, Pratte-Marchessault Yvette
* **Jouons avec les lettres,** Doyon-Richard Louise
* **Langage de votre enfant, Le,** Langevin Claude
Maman et son nouveau-né, La, Sekely Trude
* **Massage des bébés, Le,** Auckette Amélia D.
Merveilleuse histoire de la naissance, La, Gendron Dr Lionel
Mon enfant naîtra-t-il en bonne santé?, Scher Jonathan, Dix Carol
Pour bébé, le sein ou le biberon?, Pratte-Marchessault Yvette
Pour vous future maman, Sekely Trude
Préparez votre enfant à l'école, Doyon-Richard Louise
* **Psychologie de l'enfant,** Cholette-Pérusse Françoise
Secret du paradis, Le, Stolkowski Joseph
* **Tout se joue avant la maternelle,** Ibuka Masaru
Un enfant naît dans la chambre de naissance, Fortin Nolin Louise
Viens jouer, Villeneuve Michel José
Vivez sereinement votre maternité, Vellay Dr Pierre
Vivre une grossesse sans risque, Fried, Dr Peter A.

ÉSOTÉRISME

Coffret — Passé — Présent — Avenir
Graphologie, La, Santoy Claude
Hypnotisme, L', Manolesco Jean
* **Interprétez vos rêves,** Stanké Louis
* **Lignes de la main,** Stanké Louis
Lire dans les lignes de la main, Morin Michel

Prévisions astrologiques 1985, Hirsig Huguette
Vos rêves sont des miroirs, Cayla Henri
* **Votre avenir par les cartes,** Stanké Louis

HISTOIRE

Arrivants, Les, Collectif
Ramsès II, le pharaon triomphant, Kitchen K.A.

INFORMATIQUE

* **Découvrir son ordinateur personnel,** Faguy François

Guide d'achat des micro-ordinateurs, Le Blanc Pierre

JARDINAGE

Arbres, haies et arbustes, Pouliot Paul
Culture des fleurs, des fruits, Prentice-Hall of Canada
Encyclopédie du jardinier, Perron W.H.
Guide complet du jardinage, Wilson Charles

Petite ferme, T. 2 — Jardin potager, Trait Jean-Claude
Plantes d'intérieur, Les, Pouliot Paul
Techniques du jardinage, Les, Pouliot Paul
* Terrariums, Les, Kayatta Ken

JEUX/DIVERTISSEMENTS

Améliorons notre bridge, Durand Charles
* Bridge, Le, Beaulieu Viviane
Clés du scrabble, Les, Sigal Pierre A.
Collectionner les timbres, Taschereau Yves
* Dictionnaire des mots croisés, noms communs, Lasnier Paul
* Dictionnaire des mots croisés, noms propres, Piquette Robert
* Dictionnaire raisonné des mots croisés, Charron Jacqueline

Finales aux échecs, Les, Santoy Claude
Jeux de société, Stanké Louis
* Jouons ensemble, Provost Pierre
* Ouverture aux échecs, Coudari Camille
Scrabble, Le, Gallez Daniel
Techniques du billard, Morin Pierre
* Voir clair aux échecs, Tranquille Henri

LINGUISTIQUE

Améliorez votre français, Laurin Jacques
* Anglais par la méthode choc, L', Morgan Jean-Louis
Corrigeons nos anglicismes, Laurin Jacques
* J'apprends l'anglais, Silicani Gino

Notre français et ses pièges, Laurin Jacques
Petit dictionnaire du joual, Turenne Auguste
Secrétaire bilingue, La, Lebel Wilfrid
Verbes, Les, Laurin Jacques

LIVRES PRATIQUES

Bonnes idées de maman Lapointe, Les, Lapointe Lucette

Temps c'est de l'argent, Le, Davenport Rita

MUSIQUE ET CINÉMA

* Belles danses, Les, Dow Allen
* Guitare, La, Collins Peter

Wolfgang Amadeus Mozart raconté en 50 chefs-d'oeuvre, Roussel Paul

NOTRE TRADITION

Coffret notre tradition
Écoles de rang au Québec, Les, Dorion Jacques
Encyclopédie du Québec, T. 1, Landry Louis
Encyclopédie du Québec, T. 2, Landry Louis
Histoire de la chanson québécoise, L'Herbier Benoît

Maison traditionnelle, La, Lessard Micheline
Moulins à eau de la vallée du Saint-Laurent, Adam Villeneuve
Objets familiers de nos ancêtres, Genet Nicole
Vive la compagnie, Daigneault Pierre

PHOTOGRAPHIE (ÉQUIPEMENT ET TECHNIQUE)

* Apprenez la photographie avec Antoine Desilets, Desilets Antoine
Chasse photographique, La, Coiteux Louis
8/Super 8/16, Lafrance André
Initiation à la Photographie, London Barbara
Initiation à la Photographie-Canon, London Barbara
Initiation à la Photographie-Minolta, London Barbara
Initiation à la Photographie-Nikon, London Barbara
Initiation à la Photographie-Olympus, London Barbara
Initiation à la Photographie-Pentax, London Barbara
* Je développe mes photos, Desilets Antoine
* Je prends des photos, Desilets Antoine
* Photo à la portée de tous, Desilets Antoine
Photo guide, Desilets Antoine
* Technique de la photo, La, Desilets Antoine

PSYCHOLOGIE

Âge démasqué, L', De Ravinel Hubert
* Aider mon patron à m'aider, Houde Eugène
* Amour de l'exigence à la préférence, Auger Lucien
Au-delà de l'intelligence humaine, Pouliot Élise
Auto-développement, L', Garneau Jean
Bonheur au travail, Le, Houde Eugène
Bonheur possible, Le, Blondin Robert
Chimie de l'amour, La, Liebowitz Michael
* Coeur à l'ouvrage, Le, Lefebvre Gérald
Coffret psychologie moderne
Colère, La, Tavris Carol
* Comment animer un groupe, Office Catéchèse
* Comment avoir des enfants heureux, Azerrad Jacob
* Comment déborder d'énergie, Simard Jean-Paul
Comment vaincre la gêne, Catta Rene-Salvator
* Communication dans le couple, La, Granger Luc
* Communication et épanouissement personnel, Auger Lucien
Comprendre la névrose et aider les névrosés, Ellis Albert
* Contact, Zunin Nathalie
* Courage de vivre, Le, Kiev Docteur A.
Courage et discipline au travail, Houde Eugène
Dynamique des groupes, Aubry J.-M. et Saint-Arnaud Y.
Élever des enfants sans perdre la boule, Auger Lucien
* Émotivité et efficacité au travail, Houde Eugène
Enfants de l'autre, Les, Paris Erna
* Être soi-même, Corkille Briggs, D.
* Facteur chance, Le, Gunther Max
* Fantasmes créateurs, Les, Singer Jérôme
* J'aime, Saint-Arnaud Yves
Journal intime intensif, Progoff Ira
Miracle de l'amour, Un, Kaufman Barry Neil
* Mise en forme psychologique, Corrière Richard
* Parle-moi... J'ai des choses à te dire, Salome Jacques
Penser heureux, Auger Lucien
* Personne humaine, La, Saint-Arnaud Yves
* Première impression, La, Kleinke Chris, L.
Prévenir et surmonter la déprime, Auger Lucien
* Psychologie dans la vie quotidienne, Blank Dr Léonard
* Psychologie de l'amour romantique, Braden Docteur N.
* Qui es-tu grand-mère? Et toi grand-père?, Eylat Odette
* S'affirmer et communiquer, Beaudry Madeleine
* S'aider soi-même, Auger Lucien
* S'aider soi-même davantage, Auger Lucien
* S'aimer pour la vie, Wanderer Dr Zev
* Savoir organiser, savoir décider, Lefebvre Gérald
* Savoir relaxer et combattre le stress, Jacobson Dr Edmund
* Se changer, Mahoney Michael
* Se comprendre soi-même par des tests, Collectif
* Se concentrer pour être heureux, Simard Jean-Paul

Se connaître soi-même, Artaud Gérard
* Se contrôler par biofeedback, Ligonde Paultre
* Se créer par la Gestalt, Zinker Joseph
* S'entraider, Limoges Jacques
* Se guérir de la sottise, Auger Lucien
Séparation du couple, La, Weiss Robert S.
Sexualité au bureau, La, Horn Patrice

Tendresse, La, Wölfl Norbert
* Vaincre ses peurs, Auger Lucien
Vivre à deux: plaisir ou cauchemar, Duval Jean-Marie
* Vivre avec sa tête ou avec son coeur, Auger Lucien
Vivre c'est vendre, Chaput Jean-Marc
* Vivre jeune, Waldo Myra
* Vouloir c'est pouvoir, Hull Raymond

ROMANS/ESSAIS

Adieu Québec, Bruneau André
Baie d'Hudson, La, Newman Peter C.
Bien-pensants, Les, Berton Pierre
Bousille et les justes, Gélinas Gratien
Coffret Establishment canadien, Newman Peter C.
Coffret Joey
C.P., Susan Goldenberg
Commettants de Caridad, Les, Thériault Yves
Deux innocents en Chine Rouge, Hébert Jacques
Dome, Jim Lyon
Emprise, L', Brulotte Gaétan
IBM, Sobel Robert
Insolences du Frère Untel, Les, Untel Frère

ITT, Sobel Robert
J'parle tout seul, Coderre Émile
Lamia, Thyraud de Vosjoli P.L.
Mensonge amoureux, Le, Blondin Robert
Nadia, Aubin Benoît
Oui, Lévesque René
Premiers sur la Lune, Armstrong Neil
Telle est ma position, Mulroney Brian
Terrorisme québécois, Le, Morf Gustave
Un doux équilibre, King Annabelle
Vrai visage de Duplessis, Le, Laporte Pierre

SANTÉ ET ESTHÉTIQUE

Allergies, Les, Delorme Dr Pierre
Art de se maquiller, L', Moizé Alain
* Bien vivre sa ménopause, Gendron Dr Lionel
Bronzer sans danger, Doka Bernadette
* Cellulite, La, Ostiguy Dr Jean-Paul
Cellulite, La, Léonard Dr Gérard J.
Exercices pour les aînés, Godfrey Dr Charles, Feldman Michael
Face lifting par l'exercice, Le, Runge Senta Maria
Grandir en 100 exercices, Berthelet Pierre
* Guérir ses maux de dos, Hall Dr Hamilton
Médecine esthétique, La, Lanctot Guylaine
Obésité et cellulite, enfin la solution, Léonard Dr Gérard J.
Santé, un capital à préserver, Peeters E.G.
Travailler devant un écran, Feeley, Dr Helen
Coffret 30 jours
30 jours pour avoir de beaux cheveux, Davis Julie

30 jours pour avoir de beaux ongles, Bozic Patricia
30 jours pour avoir de beaux seins, Larkin Régina
30 jours pour avoir de belles cuisses, Stehling Wendy
30 jours pour avoir de belles fesses, Cox Déborah
30 jours pour avoir un beau teint, Zizmor Dr Jonathan
30 jours pour cesser de fumer, Holland Gary, Weiss Herman
30 jours pour mieux organiser, Holland Gary
30 jours pour perdre son ventre, Burstein Nancy
30 jours pour perdre son ventre (homme), Matthews Roy, Burnstein Nancy
30 jours pour redevenir un couple amoureux, Nida Patricia K., Cooney Kevin
30 jours pour un plus grand épanouissement sexuel, Schneider Alan, Laiken Deidre

SEXOLOGIE

Adolescente veut savoir, L', Gendron Lionel

Fais voir, Fleischhaner H.

Guide illustré du plaisir sexuel, Corey Dr Robert E.

Helga, Bender Erich F.

Plaisir partagé, Le, Gary-Bishop Hélène

* **Première expérience sexuelle, La,** Gendron Lionel

* **Sexe au féminin, Le,** Kerr Carmen

* **Sexualité du jeune adolescent,** Gendron Lionel

* **Sexualité dynamique, La,** Lefort Dr Paul

* **Shiatsu et sensualité,** Rioux Yuki

SPORTS

Collection sport: dirigée par **LOUIS ARPIN**

100 trucs de billard, Morin Pierre

5BX Le programme pour être en forme

Apprenez à patiner, Marcotte Gaston

Arc et la Chasse, L', Guardo Greg

* **Armes de chasse, Les,** Petit Martinon Charles

* **Badminton, Le,** Corbeil Jean

* **Canoe-kayak, Le,** Ruck Wolf

* **Carte et boussole,** Kjellstrom Bjorn

* **Chasse au petit gibier, La,** Paquet Yvon-Louis

Chasse et gibier du Québec, Bergeron Raymond

Chasseurs sachez chasser, Lapierre Lucie

* **Comment se sortir du trou au golf,** Brien Luc

* **Comment vivre dans la nature,** Rivière Bill

* **Corrigez vos défauts au golf,** Bergeron Yves

Curling, Le, Lukowich Ed.

Devenir gardien de but au hockey, Allaire François

Encyclopédie de la chasse au Québec, Leiffet Bernard

Entraînement, poids-haltères, L', Ryan Frank

Exercices à deux, Gregor Carol

Golf au féminin, Le, Bergeron Yves

Grand livre des sports, Le, Le groupe Diagram

Guide complet du judo, Arpin Louis

* **Guide complet du self-defense,** Arpin Louis

Guide d'achat de l'équipement de tennis, Chevalier Richard, Gilbert Yvon

* **Guide de survie de l'armée américaine**

Guide des jeux scouts, Association des scouts

Guide du judo au sol, Arpin Louis

Guide du self-defense, Arpin Louis

Guide du trappeur, Le, Provencher Paul

Hatha yoga, Piuze Suzanne

* **J'apprends à nager,** Lacoursière Réjean

* **Jogging, Le,** Chevalier Richard

Jouez gagnant au golf, Brien Luc

Larry Robinson, le jeu défensif, Robinson Larry

Lutte olympique, La, Sauvé Marcel

* **Manuel de pilotage,** Transports Canada

* **Marathon pour tous,** Anctil Pierre

* **Médecine sportive,** Mirkin Dr Gabe

Mon coup de patin, Wild John

* **Musculation pour tous,** Laferrière Serge

Natation de compétition, La, Lacoursière Réjean

Partons en camping, Satterfield Archie, Bauer Eddie

Partons sac au dos, Satterfield Archie, Bauer Eddie

Passes au hockey, Les, Champleau Claude

Pêche à la mouche, La, Marleau Serge

Pêche à la mouche, Vincent Serge-J.

Pêche au Québec, La, Chamberland Michel

* **Planche à voile, La,** Maillefer Gérald

* **Programme XBX,** Aviation Royale du Canada

Provencher, le dernier coureur des bois, Provencher Paul

Racquetball, Corbeil Jean

Racquetball plus, Corbeil Jean

Raquette, La, Osgoode William

* **Règles du golf, Les,** Bergeron Yves

Rivières et lacs canotables, Fédération québécoise du canot-camping

* **S'améliorer au tennis,** Chevalier Richard

Secrets du baseball, Les, Raymond Claude

le jour,
éditeur

ANIMAUX

ART CULINAIRE ET DIÉTÉTIQUE

ARTISANAT/ARTS MÉNAGERS

DIVERS

Dangers de l'énergie nucléaire, Les, Brunet Jean-Marc

Dis papa c'est encore loin, Corpatnauy Francis

Dossier pollution, Chaput Marcel

Énergie aujourd'hui et demain, De Martigny François

Entreprise, le marketing et, L', Brousseau

Forts de l'Outaouais, Les, Dunn Guillaume

Grève de l'amiante, La, Trudeau Pierre

Hiérarchie ethnique dans la grande entreprise, Rainville Jean

Impossible Québec, Brillant Jacques

Initiation au coopératisme, Béland Claude

Julius Caesar, Roux Jean-Louis

Lapokalipso, Duguay Raoul

Lune de trop, Une, Gagnon Alphonse

Manifeste de l'infonie, Duguay Raoul

Mouvement coopératif québécois, Deschêne Gaston

Obscénité et liberté, Hébert Jacques

Philosophie du pouvoir, Blais Martin

Pourquoi le bill 60, Gérin-Lajoie P.

Stratégie et organisation, Desforges Jean, Vianney C.

Trois jours en prison, Hébert Jacques

Vers un monde coopératif, Davidovic Georges

Vivre sur la terre, St-Pierre Hélène

Voyage à Terre-Neuve, De Gébineau comte

ENFANCE

Aidez votre enfant à choisir, Simon Dr Sydney B.

Deux caresses par jour, Minden Harold

* Enseignants efficaces, Gordon Thomas

Être mère, Bombeck Erma

Parents efficaces, Gordon Thomas

Parents gagnants, Nicholson Luree

Psychologie de l'adolescent, Pérusse-Cholette Françoise

1500 prénoms et significations, Grisé Allard J.

ÉSOTÉRISME

* Astrologie et la sexualité, L', Justason Barbara

Astrologie et vous, L', Boucher André-Pierre

* Astrologie pratique, L', Reinicke Wolfgang

Faire sa carte du ciel, Filbey John

* Géomancie, La, Hamaker Karen

Grand livre de la cartomancie, Le, Von Lentner G.

* Grand livre des horoscopes chinois, Le, Lau Theodora

Graphologie, La, Cobbert Anne

* Horoscope et énergie psychique, Hamaker-Zondag

Horoscope chinois, Del Sol Paula

Lu dans les cartes, Jones Marthy

* Pendule et baguette, Kirchner Georg

* Pratique du tarot, La, Thierens E.

Preuves de l'astrologie, Comiré André

Qui êtes-vous? L'astrologie répond, Tiphaine

Synastrie, La, Thornton Penny

Traité d'astrologie, Hirsig Huguette

Votre destin par les cartes, Dee Nerys

HISTOIRE

Administration en Nouvelle-France, L', Lanctot Gustave

Crise de la conscription, La, Laurendeau André

Histoire de Rougemont, Bédard Suzanne

Lutte pour l'information, La, Godin Pierre

Mémoires politiques, Chaloult René

Rébellion de 1837, Saint-Eustache, Globensky Maximilien

Relations des Jésuites T. 2

Relations des Jésuites T. 3

Relations des Jésuites T. 4

Relations des Jésuites T. 5

JEUX/DIVERTISSEMENTS

Backgammon, Lesage Denis

LINGUISTIQUE

Des mots et des phrases, T. 1, Dagenais Gérard
Des mots et des phrases, T. 2, Dagenais Gérard

Joual de Troie, Marcel Jean

NOTRE TRADITION

Ah mes aïeux, Hébert Jacques

Lettre à un Français qui veut émigrer au Québec, Dubuc Carl

OUVRAGES DE RÉFÉRENCE

Règles d'or de la vente, Les, Kahn George N.

PSYCHOLOGIE

* **Adieu,** Halpern Dr Howard
* **Agressivité créatrice,** Bach Dr George
* **Aimer son prochain comme soi-même,** Murphy Joseph
* **Anti-stress, L',** Eylat Odette
Arrête! tu m'exaspères, Bach Dr George
Art d'engager la conversation et de se faire des amis, L', Gabor Don
* **Art de convaincre, L',** Ryborz Heinz
* **Art d'être égoïste, L',** Kirschner Josef
* **Au centre de soi,** Gendlin Dr Eugène
* **Auto-hypnose, L',** Le Cron M. Leslie
Autre femme, L', Sevigny Hélène
Bains Flottants, Les, Hutchison Michael
* **Bien dans sa peau grâce à la technique Alexander,** Stransky Judith
Ces vérités vont changer votre vie, Murphy Joseph
Chemin infaillible du succès, Le, Stone W. Clément
Clefs de la confiance, Les, Gibb Dr Jack
Comment aimer vivre seul, Shanon Lynn
* **Comment devenir des parents doués,** Lewis David
* **Comment dominer et influencer les autres,** Gabriel H.W.
Comment s'arrêter de fumer, Mc Farland J. Wayne
* **Comment vaincre la timidité en amour,** Weber Éric
Contacts en or avec votre clientèle, Sapin Gold Carol
* **Contrôle de soi par la relaxation,** Marcotte Claude
Couple homosexuel, Le, McWhirter David P., Mattison Andrew M.

Découvrez l'inconscient par la parapsychologie, Ryzl Milan
* **Devenir autonome,** St-Armand Yves
* **Dire oui à l'amour,** Buscaglia Léo
Enfants du divorce se racontent, Les, Robson Bonnie
* **Ennemis intimes,** Bach Dr George
Espaces intérieurs, Les, Eisenberg Dr Howard
États d'esprit, Glasser Dr William
* **Être efficace,** Hanot Marc
Être homme, Goldberg Dr Herb
* **Fabriquer sa chance,** Gittenson Bernard
Famille moderne et son avenir, La, Richards Lyn
Gagner le match, Gallwey Timothy
Gestalt, La, Polster Erving
Guide de l'urgence-stress, Reuben Dr David
Guide du succès, Le, Hopkins Tom
L'Harmonie, une poursuite du succès, Vincent Raymond
* **Homme au dessert, Un,** Friedman Sonya
Homme en devenir, L', Houston Jean
* **Homme nouveau, L', Bodymind,** Dychtwald Ken
* **Jouer le tout pour le tout,** Frederick Carl
Maigrir sans obsession, Orbach Susie
Maîtriser la douleur, Bogin Meg
Maîtriser son destin, Kirschner Josef
Manifester son affection, Bach Dr George
* **Mémoire, La,** Loftus Elizabeth
* **Mémoire à tout âge, La,** Dereskey Ladislaus
* **Mère et fille,** Horwick Kathleen
* **Miracle de votre esprit,** Murphy Joseph

* **Mort et après, La,** Ryzl Milan
* **Négocier entre vaincre et convaincre,** Warschaw Dr Tessa
Nouvelles Relations entre hommes et femmes, Goldberg Herb
* **On n'a rien pour rien,** Vincent Raymond
* **Oracle de votre subconscient,** Murphy Joseph
Paradigme holographique, Le, Wilber Ken
Parapsychologie, La, Ryzl Milan
* **Parlez pour qu'on vous écoute,** Brien Micheline
* **Partenaires,** Bach Dr George
Passion du succès, La, Vincent Raymond
* **Pensée constructive et bon sens,** Vincent Dr Raymond
* **Penser mieux,** Lewis Dr David
Personnalité, La, Buscaglia Léo
Personne n'est parfait, Weisinger Dr H.
Pourquoi ne pleures-tu pas?, Yahraes Herbert, McKnew Donald H. Jr., Cytryn Leon
Pouvoir de votre cerveau, Le, Brown Barbara
Prospérité, La, Roy Maurice
* **Psy-jeux,** Masters Robert
* **Puissance de votre subconscient, La,** Murphy Dr Joseph
* **Qui veut peut,** Sher Barbara
Reconquête de soi, La, Paupst Dr James C.
* **Réfléchissez et devenez riche,** Hill Napoléon

* **Réussir,** Hanot Marc
Rythmes de votre corps, Les, Weston Lee
S'aimer ou le défi des relations humaines, Buscaglia Léo
Se vider dans la vie et au travail, Pines Ayala M.
* **Secrets de la communication,** Bandler Richard
* **Self-control,** Marcotte Claude
* **Succès par la pensée constructive, Le,** Hill Napoléon
Technostress, Brod Craig
* **Thérapies au féminin, Les,** Brunet Dominique
Tout ce qu'il y a de mieux, Vincent Raymond
Triomphez de vous-même et des autres, Murphy Dr Joseph
Univers de mon subconscient, L', Dr Ray Vincent
Vaincre la dépression par la volonté et l'action, Marcotte Claude
Vers le succès, Kassorla Dr Irène C.
* **Vieillir en beauté,** Oberleder Muriel
* **Vivre c'est vendre,** Chaput Jean-Marc
* **Vivre heureux avec le strict nécessaire,** Kirschner Josef
Votre perception extra-sensorielle, Milan Dr Ryzl
* **Voyage vers la guérison,** Naranjo Claudio

ROMANS/ESSAIS

À la mort de mes 20 ans, Gagnon P.O.
Affrontement, L', Lamoureux Henri
Bois brûlé, Roux Jean-Louis
100 000e exemplaire, Le, Dufresne Jacques
C't'a ton tour Laura Cadieux, Tremblay Michel
Cité dans l'oeuf, La, Tremblay Michel
Coeur de la baleine bleue, Poulin Jacques
Coffret petit jour, Martucci Abbé Jean
Colin-Maillard, Hémon Louis
Contes pour buveurs attardés, Tremblay Michel
Contes érotiques indiens, Schwart Herbert
Crise d'octobre, Pelletier Gérard
Cyrille Vaillancourt, Lamarche Jacques
Desjardins Al., Homme au service, Lamarche Jacques

De Z à A, Losique Serge
Deux Millième étage, Le, Carrier Roch
D'Iberville, Pellerin Jean
Dragon d'eau, Le, Holland R.F.
Équilibre instable, L', Deniset Louis
Éternellement vôtre, Péloquin Claude
Femme d'aujourd'hui, La, Landsberg Michele
Femmes et politique, Cohen Yolande
Filles de joie et filles du roi, Lanctot Gustave
Floralie où es-tu, Carrier Roch
Fou, Le, Châtillon Pierre
Français langue du Québec, Le, Laurin Camille
Hommes forts du Québec, Weider Ben
Il est par là le soleil, Carrier Roch
J'ai le goût de vivre, Delisle Isabelle
J'avais oublié que l'amour, Doré-Joyal Yves

Jean-Paul ou les hasards de la vie, Bellier Marcel
Johnny Bungalow, Villeneuve Paul
Jolis Deuils, Carrier Roch
Lettres d'amour, Champagne Maurice
Louis Riel patriote, Bowsfield Hartwell
Louis Riel un homme à pendre, Osler E.B.
Ma chienne de vie, Labrosse Jean-Guy
Marche du bonheur, La, Gilbert Normand
Mémoires d'un Esquimau, Metayer Maurice

Mon cheval pour un royaume, Poulin J.
Neige et le feu, La, Baillargeon Pierre
N'Tsuk, Thériault Yves
Opération Orchidée, Villon Christiane
Orphelin esclave de notre monde, Labrosse Jean
Oslovik fait la bombe, Oslovik
Parlez-moi d'humour, Hudon Normand
Scandale est nécessaire, Le, Baillargeon Pierre
Vivre en amour, Delisle Lapierre

SANTÉ

Alcool et la nutrition, L', Brunet Jean-Marc
Bruit et la santé, Le, Brunet Jean-Marc
Chaleur peut vous guérir, La, Brunet Jean-Marc
Échec au vieillissement prématuré, Blais J.
Greffe des cheveux vivants, Guy Dr
Guérir votre foie, Brunet Jean-Marc
Information santé, Brunet Jean-Marc
Magie en médecine, Silva Raymond
Maigrir naturellement, Lauzon Jean-Luc

Mort lente par le sucre, Duruisseau Jean-Paul
40 ans, âge d'or, Taylor Eric
Recettes naturistes pour arthritiques et rhumatisants, Cuillerier Luc
Santé de l'arthritique et du rhumatisant, Labelle Yvan
* Tao de longue vie, Le, Soo Chee
Vaincre l'insomnie, Filion Michel, Boisvert Jean-Marie, Melanson Danielle
Vos aliments sont empoisonnés, Leduc Paul

SEXOLOGIE

* Aimer les hommes pour toutes sortes de bonnes raisons, Nir Dr Yehuda
* Apprentissage sexuel au féminin, L', Kassorla Irene
* Comment faire l'amour à un homme, Penney Alexandra
* Comment faire l'amour à une femme, Morgenstern Michael
* Comment faire l'amour ensemble, Penney Alexandra
* Comment séduire les filles, Weber Éric
Dépression nerveuse et le corps, La, Lowen Dr Alexander
Drogues, Les, Boutot Bruno
* Femme célibataire et la sexualité, La, Robert M.

* Jeux de nuit, Bruchez Chantal
* Massage en profondeur, Le, Bélair Michel
Massage pour tous, Le, Morand Gilles
* Orgasme au féminin, L', L'heureux Christine
* Orgasme au masculin, L', Boutot Bruno
* Orgasme au pluriel, L', Boudreau Yves
Première fois, La, L'Heureux Christine
Rapport sur l'amour et la sexualité, Brecher Edward
Sexualité expliquée aux adolescents, La, Boudreau Yves
Sexualité expliquée aux enfants, La, Cholette Pérusse F.

SPORTS

Baseball-Montréal, Leblanc Bertrand
Chasse au Québec, Deyglun Serge
Chasse et gibier du Québec, Guardo Greg
Exercice physique pour tous, Bohemier Guy
Grande forme, Baer Brigitte
Guide des pistes cyclables, Guy Côté

Guide des rivières du Québec, Fédération canot-kayac
Lecture des cartes, Godin Serge
Offensive rouge, L', Boulonne Gérard
Pêche et coopération au Québec, Larocque Paul
Pêche sportive au Québec, Deyglun Serge

Raquette, La, Lortie Gérard
Santé par le yoga, Piuze Suzanne
Saumon, Le, Dubé Jean-Paul
Ski nordique de randonnée, Brady Michael
Technique canadienne de ski, O'Connor Lorne

Truite et la pêche à la mouche, La, Ruel Jeannot
Voile, un jeu d'enfants, La, Brunet Mario

Quinze

ASTROLOGIE

* Ciel de mon pays, Le, T. 1, Haley Louise * Ciel de mon pays, Le, T. 2, Haley Louise

BIOGRAPHIES

* Papineau, De Lamirande Claire

* Personne ne voudra savoir, Schirm François

DIVERS

* Défi québécois, Le, Monnet François-Marie
* Dieu est Dieu nom de Dieu, Clavel Maurice
* Hybride abattu, L', Boissonnault Pierre
* Montréal ville d'avenir, Roy Jean
* Nouveau Canada à notre mesure, Matte René
* Pour une économie du bon sens, Pelletier Mario
* Québec et ses partenaires, A.S.D.E.Q.

* Qui décide au Québec?, Ass. des économistes du Québec
* 15 novembre 76, Dupont Pierre
* Relations du travail, Centre des dirigeants d'entreprise
* Schabbat, Bosco Monique
* Syndicats en crise, Les, Dupont Pierre
* Tant que le monde s'ouvrira, Gagnon G.
* Tout sur les p'tits journaux, Fontaine Mario

HISTOIRE

* Canada — Les débuts héroïques, Creighton Donald

HUMOUR

* Humour d'Aislin, L', Mosher Terry-Aislin

LINGUISTIQUE

* Guide raisonné des jurons, Pichette Jean

NOTRE TRADITION

* À diable-vent, Gauthier Chassé Hélène
* Barbes-bleues, Les, Bergeron Bertrand
* Bête à sept têtes, La, Légaré Clément
* C'était la plus jolie des filles, Deschênes Donald
* Contes de bûcherons, Dupont Jean-Claude

* Corbeau du mont de la Jeunesse, Le, Desjardins Philémon
* Menteries drôles et merveilleuses, Laforte Conrad
* Oiseau de la vérité, L', Aucoin Gérald
* Pierre La Fève, Légaré Clément

PSYCHOLOGIE

* **Esprit libre, L'**, Powell Robert

ROMANS/ESSAIS

* **Aaron**, Thériault Yves
* **Aaron, 10/10**, Thériault Yves
* **Agaguk**, Thériault Yves
* **Agaguk, 10/10**, Thériault Yves
* **Agénor, Agénor, Agénor et Agénor**, Barcelo François
* **Ah l'amour, l'amour**, Audet Noël
* **Amantes**, Brossard Nicole
* **Après guerre de l'amour, L'**, Lafrenière J.
* **Aube**, Hogue Jacqueline
* **Aube de Suse, L'**, Forest Jean
* **Aventure de Blanche Morti, L'**, Beaudin Beaupré Aline
* **Beauté tragique**, Robertson Heat
* **Belle épouvante, La**, Lalonde Robert
* **Black Magic**, Fontaine Rachel
* **Blocs erratiques**, Aquin Hubert
* **Blocs erratiques, 10/10**, Aquin Hubert
* **Bourru mouillé**, Poupart Jean-Marie
* **Bousille et les justes**, Gélinas Gratien
* **Bousille et les justes, 10/10**, Gélinas Gratien
* **Carolie printemps**, Lafrenière Joseph
* **Charles Levy M.D.**, Bosco Monique
* **Chère voisine**, Brouillet Chrystine
* **Chère voisine, 10/10**, Brouillet Chrystine
* **Chroniques du Nouvel-Ontario**, Brodeur Hélène
* **Confessions d'un enfant**, Lamarche Jacques
* **Corps vêtu de mots, Le**, Dussault Jean
* **Coup de foudre**, Brouillet Chrystine
* **Couvade, La**, Baillie Robert
* **Cul-de-sac, 10/10**, Thériault Yves
* **De mémoire de femme**, Andersen Marguerite
* **Demi-Civilisés, Les, 10/10**, Harvey Jean-Charles
* **Dernier havre, Le, 10/10**, Thériault Yves
* **Dernière chaîne, La**, Latour Chrystine
* **Des filles de beauté**, Baillie Robert
* **Difficiles lettres d'amour**, Garneau Jacques
* **Dix contes et nouvelles fantastiques**, Collectif
* **Dix nouvelles de science-fiction québécoise**, Collectif
* **Dix nouvelles humoristiques**, Collectif
* **Dompteurs d'ours, Le**, Thériault Yves
* **Double suspect, Le**, Monette Madeleine
* **En eaux troubles**, Bowering George
* **Entre l'aube et le jour**, Brodeur Hélène
* **Entre temps**, Marteau Robert
* **Entretiens avec O. Létourneau**, Huot Cécile
* **Esclave bien payée, Une**, Paquin Carole
* **Essai sur l'Hindouisme**, Dussault Jean-Claude
* **Été de Jessica, Un**, Bergeron Alain
* **Et puis tout est silence**, Jasmin Claude
* **Été sans retour, L'**, Gevry Gérard
* **Faillite du Canada anglais, La**, Genuist Paul
* **Faire sa mort comme faire l'amour**, Turgeon Pierre
* **Faire sa mort comme faire l'amour, 10/10**, Turgeon Pierre
* **Femme comestible, La**, Atwood Margaret
* **Fille laide, La**, Thériault Yves
* **Fille laide, La, 10/10**, Thériault Yves
* **Fleur aux dents, La**, Archambault Gilles
* **Fragiles lumières de la terre**, Roy Gabrielle
* **French Kiss**, Brossard Nicole
* **Fridolinades, T. 1 (45-46)**, Gélinas Gratien
* **Fridolinades, T. 2 (43-44)**, Gélinas Gratien
* **Fridolinades, T. 3 (41-42)**, Gélinas Gratien
* **Fuites & poursuites**, Collectif
* **Gants jetés, Les**, Martel Émile
* **Grand branle-bas, Le**, Hébert Jacques
* **Grand Elixir, Le**, De Lamirande Claire
* **Grand rêve de madame Wagner, Le**, Lavigne Nicole
* **Histoire des femmes au Québec**, Collectif Clio
* **Holyoke**, Hébert François
* **Homme sous vos pieds, L'**, Gevry Gérard
* **Hubert Aquin**, Lapierre René
* **Improbable autopsie, L'**, Paré Paul
* **Indépendance oui mais**, Bergeron Gérard
* **IXE-13**, Saurel Pierre
* **Jazzy**, Doerkson Margaret
* **Je me veux**, Lamarche Claude

Achevé   Imprimerie
d'imprimer Gagné Ltée
au Canada   Louiseville